Blues nègre dans une
de Jennifer Tremblay
est le mille quarante-sixième ouvrage
publié chez
VLB ÉDITEUR.

Direction littéraire : Martin Balthazar
Révision linguistique : Michel Therrien et Annie Goulet
Maquette de la couverture : Ping Pong Ping
Illustration en couverture : Lino, 2014

Catalogage avant publication de Bibliothèque et Archives nationales du Québec et de Bibliothèque et Archives Canada
Tremblay, Jennifer, 1973-
Blues nègre dans une chambre rose
ISBN 978-2-89649-604-4
I. Titre.
PS8589.R443B58 2015 C843'.54 C2014-942684-4
PS9589.R443B58 2015

VLB ÉDITEUR
Groupe Ville-Marie Littérature inc.*
Une société de Québecor Média
1010, rue De La Gauchetière Est
Montréal (Québec) H2L 2N5
Tél. : 514 523-7993, poste 4201
Téléc. : 514 282-7530
Courriel : vml@groupevml.com
Vice-président à l'édition : Martin Balthazar

DISTRIBUTEUR :
Les Messageries ADP inc.*
2315, rue de la Province
Longueuil (Québec) J4G 1G4
Tél. : 450 640-1234
Téléc. : 450 674-6237
* filiale du Groupe Sogides inc., filiale de Québecor Média inc.

VLB éditeur bénéficie du soutien de la Société de développement des entreprises culturelles du Québec (SODEC) pour son programme d'édition.
Gouvernement du Québec – Programme de crédit d'impôt pour l'édition de livres – Gestion SODEC.
Nous reconnaissons l'aide financière du gouvernement du Canada par l'entremise du Fonds du livre du Canada pour nos activités d'édition.
Nous remercions le Conseil des arts du Canada de l'aide accordée à notre programme de publication.

Dépôt légal : 1er trimestre 2015

editionsvlb.com

BLUES NÈGRE DANS UNE CHAMBRE ROSE

De la même auteure

FICTION

« 10 h 04 », dans *Neuf bonnes nouvelles d'ici et une bonne nouvelle d'ailleurs (à vous de trouver laquelle)*, Éditions de la Bagnole, 2014.
Tout ce qui brille, Montréal, Éditions de la Bagnole, 2005.

POÉSIE

De la ville, il ne me reste que toi, illustrations de Normand Cousineau, Montréal, Éditions de la Bagnole, 2011.
Histoire de foudres, Amqui, Machin Chouette éditeur, 1990.

JEUNESSE

L'incroyable aventure de Matisse et des vaches lunaires, illustrations de Rémy Simard, Montréal, Éditions de la Bagnole, 2014.
Maria Chapdelaine, adaptation de l'œuvre Louis Hémon, illustrations de Francesc Rovira, Montréal, Éditions de la Bagnole, 2013.
Matisse et les vaches lunaires, illustrations de Rémy Simard, Montréal, Longueuil de la Bagnole, 2009.
Sacha et son sushi, illustrations de Fabrice Boulanger, Longueuil, Éditions de la Bagnole, 2008.
Madame Zia, illustrations de Fabrice Boulanger, Laval, Éditions Lauzier, 2007.
Miro et les canetons du lac vert, illustrations de Sampar, Longueuil, Éditions de la Bagnole, 2006.
Un secret pour Matisse, illustrations de Rémy Simard, Longueuil, Éditions de la Bagnole, 2004.
Deux biscuits pour Sacha, illustrations de Fabrice Boulanger, Longueuil, Éditions de la Bagnole, 2004.

THÉÂTRE

La délivrance, Éditions de la Bagnole, 2014.
Le carrousel, Éditions de la Bagnole, 2011.
La liste, Longueuil, Éditions de la Bagnole, 2008 ; traduit vers l'anglais sous le titre *The List*, Toronto, Playwrights Canada Press, 2012 ; traduit vers le portugais sous le titre *A Lista*, Rio de Janeiro, Autêntica Editora, 2014.

BLUES NÈGRE DANS UNE CHAMBRE ROSE

Jennifer Tremblay

vlb éditeur
Une société de Québecor Média

À Michèle Lavoie

Je ne sais pas si vous avez eu le terrifiant privilège de connaître la passion d'amour. C'est le plus vertigineux des abîmes dans lequel il soit possible à l'homme de descendre. Un abîme de flammes et de souffrances.

Mais si quelqu'un se mêlait de vouloir sauver celui qui est tombé, vous l'entendriez hurler comme si on lui arrachait la peau !

La seule délivrance est d'y être consumé sans résidus.

CHRISTIANE SINGER
Seul ce qui brûle

Au coucher du soleil, la veille de son retour à Montréal, Fanny Murray prépara un feu de bois sur la grève. Elle sortit de son sac, pour les jeter dans les flammes, ces trois cahiers.

PREMIER CAHIER

Abbaye de Saint-Benoît-du-Lac

Comme je suis arrivée très tôt et qu'il n'y a presque personne en ce moment, les religieuses m'ont permis de choisir ma chambre. Elles ont ouvert les portes et m'ont laissée visiter. J'ai finalement pris la chambre rose, rose pâle pour être exacte. Je dirais même rose bébé. Ça n'a rien à voir avec le rose de ma propre chambre, qui s'apparente plus au rose d'une fleur exotique, je dirais un rose sud-américain.

Donc cette chambre rose au deuxième étage de la villa Sainte-Scholastique, villa érigée sur la propriété de l'abbaye, sera la mienne aussi longtemps que je le voudrai. C'est ce que les religieuses m'ont dit.

La fenêtre de ma chambre donne sur le champ, le lac et les arbres qui bordent le domaine. La vue est vaste. L'été a atteint son apogée. L'automne est proche. Mais les signes de son retour sont encore presque imperceptibles.

Il y a un crucifix à la tête du lit. Ça me donne envie de dormir nue. Près de la porte, au-dessus de la commode, une image de la Vierge avec l'Enfant Jésus.

La table de travail, sous la fenêtre, est large. Le lavabo est bas et minuscule. Ma tête dépasse le miroir au-dessus. Une savonnette et un verre en plastique. Deux serviettes, pas grandes, et une débarbouillette. Voilà l'équipement que les religieuses mettent à notre disposition. Il faut apporter le superflu.

J'essaie de ne pas manger le chocolat que j'ai acheté tantôt à la boutique du monastère. Ce n'est pas gagné. Je n'ai pas apporté ma guitare. Ce n'est pas un endroit pour faire du tapage.

J'ai eu cette idée de venir au monastère, j'ai pensé que les chants grégoriens, le silence, la nature m'apaiseraient.

Je ne sais pas si nous recommencerons à nous écrire et à nous voir un jour, si une bonne fois je te réinviterai chez moi. Je l'espère, ne l'espère pas. Je t'aime, ne t'aime plus. La peur de te retrouver, la peur de ne pas te retrouver. L'important, au bout du compte, c'est de redevenir légère. Ici, c'est une chose possible. Ce n'est pas sûr, mais c'est au moins possible.

J'ai fait une erreur en répondant à ton appel ce soir-là à New Orleans. Si je pouvais retourner en arrière, je laisserais le téléphone sonner trois fois, quatre fois, mille fois, je le débrancherais, je le jetterais par la fenêtre et je m'endormirais tout doucement dans la nuit louisianaise, toute à ma joie d'avoir reçu un prix, occupée par mon avenir prometteur, riant en mon for intérieur de t'avoir lancé cette invitation insensée. Toi, prince de la musique, roi du blues, poursuivi par une horde de fans et de femmes, qu'avais-tu à faire de moi ?

À New Orleans, tu as frappé à la porte de ma petite chambre d'hôtel, je me suis précipitée pour t'ouvrir. C'est comme ça qu'on te traite toujours, toi. On s'empresse devant toi. On ne te fait pas attendre. Le festival était fini. J'avais remporté un prix. C'est toi qui me l'avais remis devant la foule en délire, à titre de président du jury. Ce n'est pas moi qui soulevais leur enthousiasme, en tout cas je ne pense pas, je ne sais plus. Les applaudissements et les cris m'impressionnaient. J'ai un trac terrible après les shows, jamais avant.

Tu as frappé à ma porte, je t'ai ouvert, tu m'as embrassée, tu m'as prise dans tes bras, et tout ce temps je n'en profitais pas trop, je faisais tourner des questions dans ma tête, qu'est-ce que c'est que cette histoire, qu'est-ce que cet homme admiré, adoré, adulé, fait dans ma chambre, comment est-ce que j'en suis arrivée là ?

Je t'avais si souvent regardé à la télévision dans les shows de fin de soirée, tu étais invité partout, avec tes chansons complètement délirantes, tu étais bon, un virtuose, et tellement aimé, pas encore vénéré, mais aimé, je n'étais alors qu'une petite fille devant un petit téléviseur à l'autre bout d'un Québec légèrement raciste, et trois décennies plus tard tu étais là, avec moi, dans cette chambre mignonne au cœur de New Orleans, et tu prenais mes seins roses dans ta belle bouche nègre, et c'était si naturel, comme le cours normal des choses.

En me remettant mon prix, tu m'avais embrassée sur les joues avec délicatesse. Une intention claire dans tes lèvres terribles. Tu avais baissé les yeux sur mon décolleté. Dans la loge, j'ai dit nous devrions prendre un verre ensemble. J'ai besoin de conseils.

J'étais habitée d'une nouvelle assurance puisque je venais de remporter ce prix, sous tes yeux, peut-être même grâce à toi.

Tu as dit d'accord. Donne-moi ton numéro. Je t'appelle demain.

Tu m'as appelée le lendemain soir, bien trop tard pour que nous allions prendre un verre. J'avais refusé toutes les invitations, certaine que tu tiendrais parole. Mais la soirée passait. Le téléphone ne sonnait pas. J'étais crevée. Je me moquais finalement pas mal que tu ne me téléphones pas. J'allais me glisser dans mon lit quand justement le téléphone a sonné. J'ai décidé de ne pas répondre. Je n'en avais plus envie. Tu as appelé une deuxième fois. Puis une troisième. J'ai répondu en riant.

Dix minutes plus tard, tu étais à ma porte. Je t'ai fait entrer. Je t'ai offert un whisky, une bouteille toute neuve sur la table de chevet. Je me suis excusée de ne pas avoir de glaçons. Tu as réclamé une bise. Je me suis approchée pour embrasser ta joue. Tu t'es retourné pour poser tes lèvres sur les miennes. Tu m'as retenue contre toi. Une formidable étreinte.

Tu t'es assis sur le lit sans lâcher ma main. Je me suis agenouillée à tes pieds, j'ai posé ma tête sur ta poitrine.

Ce geste t'a touché, tu me l'as dit des mois plus tard, ce geste t'a semblé chargé d'affection.

Il l'était.

Tu as ouvert ma blouse.

Avant même que nous ayons échangé trois phrases, nous étions nus dans le lit blanc.

Tu m'as prise aussitôt. Tu voulais être là au plus vite, être en moi aussi brusquement que possible, me prendre, me prendre, me prendre. Je pensais à mon ventre.

Nous n'avons pas fermé l'œil de la nuit. Le lit était trop étroit. Il fallait rester l'un sur l'autre pour ne pas tomber. Je m'accrochais à toi. Tu t'accrochais à moi. Nous n'avions pas du tout envie de dormir. Nous étions hilares. Nous avions envie de nous amuser. Moi parce que j'étais avec toi, sous toi, collée à toi, mes mains dans tes mains, tes belles mains de musicien que j'admirais tant depuis toujours. Toi parce que ma peau fraîche de femme jeune te faisait du bien. Enfin je suppose, je ne sais pas, tu ne me l'as jamais dit. Imaginons que c'est ma peau douce et parfumée qui te gardait réveillé, imaginons que je te faisais bander, que ça ne t'était pas arrivé depuis longtemps, étant donné que tu n'étais pas si jeune, pas jeune du tout même, imaginons que tu n'en revenais pas toi-même.

C'est sûr, depuis quelques mois, j'étais passée quelques fois dans ton sillage. On nous avait présentés, tu m'avais serré la main lors d'un lancement. Une autre fois, tu étais venu au studio voir Stéphane. Il nous avait présentés lui aussi. Tu m'avais tendu la main, tu ne te rappelais pas de moi. J'avais profité de l'occasion pour t'exprimer mon admiration. Bobo Ako, j'écoute votre musique depuis si longtemps. Tu avais souri, mon compliment ne t'avait pas impressionné.

C'est à New Orleans que tu m'as vue pour la première fois. Tu as découvert ma voix grave, le son rauque de ma guitare. J'ai conquis le public dès les premières notes. Tu applaudissais dans la coulisse quand je suis sortie de scène.

Le réveil a sonné. Il était cinq heures. J'avais un avion à prendre, je retournais à Montréal.

Pas toi. Ton voyage continuait. Ton voyage à toi, il n'a pas de fin.

Tu entres sans frapper. Nous avons convenu que tu entrerais toujours chez moi comme si tu étais chez toi, comme si tu étais juste allé poster une lettre au coin de la rue. Pour que l'illusion soit parfaite, je fais celle qui ne t'attend pas. Je m'occupe exprès à des tâches banales. Laver la vaisselle. Peler des fruits. Couper des légumes. J'ai compris que tu n'aimais pas trop que je te saute au cou. J'ai compris aussi, pour l'avoir expérimenté une fois, que tu n'aimais pas que je t'attende dans une position lascive en pyjama léger. Quand tu arrives chez moi, je suis déjà passée au marché. J'ai fait le lit. Pour rien. Nous allons le mettre sens dessus dessous. La maisonnée est grouillante, vivante. Je mets quelque chose au four. Et un CD dans la machine.

Notre rituel était d'une précision hallucinante. Nous n'avions pas trop envie de variations. Nous menons des vies chaotiques. Toi encore plus que moi. Nos retrouvailles, elles, sont réglées au quart de tour dans un joli mouvement de répétition, et cette assurance que tout se passera exactement comme d'habitude alimente le bonheur de nous retrouver.

La lumière sur nous change. C'est sûr. À cause des saisons. Des fois la canicule. D'autres fois le froid du cœur de l'hiver. Tu portes un t-shirt l'été. Un lainage coloré l'automne.

Une fois, il y avait des chatons dans la cave. J'ai insisté pour te les montrer. Une autre fois, tu m'as demandé de me changer parce que tu n'aimais pas la longue robe noire que je portais. Tu n'es pas en deuil, *baby*, va mettre des couleurs. J'ai enfilé un pantalon blanc, un chemisier à grosses fleurs roses, bleues, jaunes. Ça t'a rendu très gai. Tu as dit voilà la reine de l'été !

Mais pour le reste, je veux dire en ce qui concerne tes autres visites, je n'ai pas souvenir qu'il se soit passé quelque chose de particulier. Il me semble que toutes tes visites se confondent en une seule. Se rappeler une seule, c'est un peu se les rappeler toutes.

Nous n'avons jamais été déçus ni décevants. Ces heures ensemble dans ma maison ont été parfaites, incroyablement douces et heureuses jusqu'à l'heure du départ.

À la fin de l'après-midi, tu sortais du lit d'un bond, soudainement affolé à l'idée d'être en retard. En retard au studio, en retard au test de son, en retard pour l'entrevue. Tu sautais dans tes vêtements pour repartir comme tu étais arrivé. Je me levais à mon tour, étourdie, peut-être un peu ivre. Je regardais longuement l'horloge sans saisir ce que signifiait la position des aiguilles. J'étais désertée de toute volonté, incapable d'assurer le déroulement normal des choses. Le fromage avait séché sur la table. Le pain était dur. Il ne restait rien du poisson grillé, à part une odeur fétide qui attirait les mouches. Je me chargeais de vider ta bière abandonnée au coin de la table. Je retournais dans la chambre.

Après ton départ, un parfum, ton parfum, colle aux murs, s'agrippe à la pénombre rose. Je lève la toile. J'ouvre la fenêtre. Pluie, vent, neige, chaleur. Qu'importe la saison. Je récupère une couverture tombée sur le sol, je me laisse tomber sur le lit. Notre odeur sur les draps. Le vent frais n'y peut rien. Il va falloir les laver. Mais pas tout de suite.

Des mois entiers s'écoulent lentement, très lentement, avant que tu ne franchisses de nouveau, en deux pas lestes, les marches de ma galerie. Tu pousses la porte avec assurance, presque avec rage. Je l'entends claquer derrière toi. Tous mes organes se figent le temps que tu traverses le couloir pour me rejoindre à la cuisine – j'ai toujours vaguement peur que ce ne soit pas toi –, tu surgis devant moi, je te souris, l'air affable et occupé, en levant à peine les yeux sur toi. Je casse des œufs. Je lave des tomates. Tu tournes nerveusement autour de moi, en parlant de choses anodines, un sans-abri croisé au coin de la rue, la première page du journal de ce matin, les dernières rumeurs au sujet d'un chanteur alcoolique. Puis tu te plantes près de moi, aussi près que possible, l'air dramatique, presque tragique, et tu te plains.

Tu n'embrasses pas ton homme ! Qu'est-ce qui se passe ? Tu ne m'aimes plus, c'est ça ? Je vois bien que tu ne m'aimes plus ! Ma blonde ne m'aime plus ! Ma blonde ne m'aime plus ! Il y a un autre homme dans ta vie, c'est ça ?

C'est le signal de départ. Je laisse tomber les tomates au fond de l'évier. Tu me goûtes une fois, deux fois, trois fois. Tu dis tu es à moi, *baby*, tu es à moi. Je réponds oui, oui je suis à toi en prenant tes fesses dans mes mains. Je te serre contre moi. Sexe contre sexe.

Je reconnais nos gestes. Ce sont les mêmes gestes que la fois d'avant et la fois d'après.

Ici, à la villa Sainte-Scholastique, nous sommes tenues au silence. En même temps, nous ne nous sentons pas seules. Nous nous sourions. Il y a une charge d'empathie dans les regards. Nous nous soupçonnons toutes d'être là pour une raison lourde. Pour en être là, il y a nécessairement quelque chose qui cloche. Pour s'enfermer dans une chambre si modeste, dormir sur un lit si petit et si dur, marcher sur la pointe des pieds, partager la salle de bains, ne pas parler au téléphone, vivre sans Wi-Fi, manger à heure fixe dans le silence le plus parfait, ne pas regarder les hommes, éviter les vêtements courts et courir à la messe au moins une fois par jour, tout ça dans un vingt et unième siècle bien entamé, il faut nécessairement avoir quelque chose qui cloche.

Quatre murs roses. Mon iPod et mes écouteurs. Des cahiers. Un dictionnaire de rimes. Un paysage parfait de fin d'été. J'ai choisi un arbre. Je tire une chaise pour aller m'asseoir dessous. J'ai raté les vigiles.

J'ai ouvert les yeux quelques minutes trop tard. Mais j'étais là aux laudes, et aussi à la messe de 11 heures.

Les rituels sont bons pour moi. Le son de l'orgue me prend aux tripes. L'odeur de l'encens encore plus. Je m'agenouille et je ferme les yeux. C'est une série de gestes qui permet d'organiser ses pensées, comme trier des papiers ou laver la laitue.

Est-ce que je crois en Dieu ? Quand je changeais les draps, époussetais la chambre, coupais du pain, mettais des bières au frais et des légumes au four, faisais chambrer le fromage ; quand je prenais un bain de mousse parfumé, me limais les ongles, m'enduisais généreusement de crème hydratante, épilais mes sourcils, me maquillais un peu ; quand je faisais tout ça parce que je te savais en route pour passer quelques heures avec moi, j'avais la certitude que Dieu existe.

À la fin de l'après-midi, quand tu sors du lit d'un bond, que j'entends la porte se refermer sur toi et le monde s'écrouler sur moi, j'ai la certitude que Dieu n'existe pas.

New Orleans. Le matin encore noir après notre nuit blanche. Je crains de rater mon avion. Ta main dans mon jeans, tes doigts dans mon sexe humide. Tes lèvres gonflées dévorent mon visage.

Ne pars pas. Ne pars pas.

Il le faut bien, mon amour.

Tu enfiles ton pull violet pour sortir avec moi. Tu tires ma valise fleurie, je porte ma guitare. Nous marchons un peu dans le vieux quartier. Ce n'est pas facile de trouver un taxi à cette heure-ci.

Tiens, en voilà un. Tu lui fais signe.

Tu restes immobile dans ton pull violet. Je pose ma bouche sur la tienne. Tu ne bouges pas, tu ne bouges pas, tu ne vas pas me serrer contre toi. Je monte dans le taxi. Tu descends du trottoir. Ton pull violet. Tu me regardes m'éloigner. M'en aller. Tu es un peu triste, tu n'as pas envie que je parte, tu l'as dit. Je ne me retourne pas. Mais je sens ton regard sur ma nuque.

Dans les jours qui ont suivi notre première nuit ensemble, on aurait dit que tu étais étonné. Dans ton courriel, tu me demandais ce qui t'était arrivé. Tu voulais me revoir au plus vite. Ce n'était pas une suggestion, c'était une exigence.

Tu m'as proposé un rendez-vous à Québec en mai. Tu donnais un spectacle là-bas. J'ai pris une chambre à ton hôtel. J'ai laissé un message à la réception.

Quand tu as frappé à ma porte, j'en étais à télécharger quatorze versions d'*Hallelujah*. Allison Crowe, Jeff Buckley, K.D. Lang, Katherine Jenkins, Kathryn Williams, Keren Ann, Leonard Cohen, Mary Coughlan, Michael McDonald, Montréal Jazz Club, Patricia O'Callaghan, Rufus Wainwright, Willie Nelson, Il Divo.

Au lever du soleil, tu t'es planté nu devant la fenêtre, je te voyais à contre-jour avec le parlement qui se découpait aussi sur l'aube rose. Tu m'as demandé si je voulais être ta maîtresse.

Sur la route de Québec à Montréal, j'ai écouté *Hallelujah* en boucle. Je montais le son pour Cohen. Je baissais le son pour Rufus. À la hauteur de Drummondville, j'ai décidé de rompre avec l'homme qui m'attendait à la maison.

Après l'accident de voiture et l'opération – j'avais vingt-cinq ans –, j'ai soulevé la jaquette bleue devant le miroir, et j'ai reculé de deux pas. C'est sûr, depuis, j'ai guéri un peu, mais pas tellement. J'avais un amoureux, un homme avec qui je vivais depuis quelques années. J'ai eu la certitude, en découvrant mon ventre devant le miroir de l'hôpital, que jamais un autre homme que lui ne voudrait de moi. J'ai commencé à porter des maillots une pièce. À porter ma guitare contre moi. À me protéger avec cette armure qui me précédait.

Un jour on m'a présenté Stéphane. Il cherchait quelqu'un pour s'occuper de son studio quand il était en voyage. On s'est tout de suite fait confiance. Avec lui et les musiciens, j'ai appris à faire des arrangements et des mixages. J'étais douée. Il disait tu as ça dans le sang, Fanny.

Et ma guitare, ma guitare, je la gardais toujours contre moi.

À New Orleans, quand tu t'es glissé sur moi, tu as dû sentir sous ton ventre la boursoufflure de ma cicatrice. En me caressant, tu as fait attention de ne pas y toucher.

Puis des mois plus tard, collé à mon dos, en m'enlaçant, tu as posé ta main sur mon ventre.

Pour marquer mon passage à une vie nouvelle, j'ai fait deux choses. D'abord, j'ai jeté tous mes sous-vêtements. Je n'avais porté, depuis des années, que du noir. J'ai acheté des rayures, des pois, de la dentelle, des boucles.

Ensuite, j'ai repeint ma chambre. En fait, j'ai demandé à ma sœur de faire le boulot. Moi, je ne m'aventure jamais dans ce genre d'entreprise compliquée. Je suis revenue de la quincaillerie avec deux gallons de peinture rose. Le rose le plus rose qu'on puisse trouver dans ce monde. Ma sœur a dit tu es folle ou quoi. Malgré ses arguments, je n'ai pas changé d'idée. Elle a peint les quatre murs. Le plafond, elle a dit qu'elle ne pouvait pas. C'était une question d'honneur. N'empêche qu'après une première couche, elle était emballée. Elle a reconnu que le beige d'autrefois ne lui manquait pas. C'était gai, ce rose.

J'ai eu du mal à trouver des accessoires assortis. Dans les magazines de décoration, on spécifie souvent qu'il faut choisir les accessoires avant de déterminer la couleur des murs. J'avais tout fait à l'envers.

Finalement, j'ai décidé de décorer la pièce ton sur ton. Une couette rose avec des fleurs roses. Ç'avait quelque chose de japonais, ce tissu, à cause des fleurs un peu géométriques. Les draps, je les ai choisis roses aussi, et les coussins, et les rideaux. Bref, j'y suis allée pas mal fort avec le rose. Ma sœur trouvait mon décor excessif, théâtral. Ça lui déplaisait, cette mise en scène. Mais dans mon œil à moi, avec le soleil de l'après-midi qui plombait, le soleil d'été surtout, tout ce rose donnait à ma chambre une ambiance sacrée.

À l'aéroport de New Orleans, je me suis plus ou moins endormie en attendant mon vol, la tête sur ma guitare. Je revoyais en boucle ta bouche sur moi, tes mains sur moi, le drap blanc sur toi, le drap blanc sur moi, ton sourire bienheureux, ton pull violet, ton regard sur ma nuque. Je m'entendais te chanter tes chansons, j'avais voulu te faire la preuve que je les connaissais toutes. Tu m'embrassais entre les couplets. Je fredonnais pendant que tu me caressais. Tu disais arrête, et je faisais exprès de continuer. Nous étions drôles, nous étions vivants.

Il me semblait que ç'avait été la première vraie nuit d'amour de ma vie.

Je savais désormais ce que ça voulait dire, cette expression fabuleuse, nuit d'amour, et j'avais envie de raconter ça à tout le monde autour de moi, à l'aéroport, dans l'avion, nuit d'amour, nuit d'amour, nuit d'amour, nuit d'amour.

Après l'accident de voiture, mon copain et moi, nous n'avons plus fait l'amour, ou presque plus. Nous avons essayé, des fois, mais nous étions pathétiques. Peut-être que mon ventre lui rappelait sa fausse manœuvre, qui avait failli me coûter la vie. Peut-être que le temps avait grugé le désir entre nous, tout simplement, comme ça arrive tout le temps. Il venait au lit, le soir, avec sa tablette et ses écouteurs. Il jouait à des jeux débiles. Je me détournais de lui, il ne fallait surtout pas que je le regarde jouer, j'aurais pu le tuer. Je mettais un temps fou à m'endormir. Je lui en voulais de me laisser mourir, de me laisser pour morte, à côté de lui.

Quand je lui ai demandé de s'en aller, il est parti sans faire de vagues. Un soir, je suis rentrée du studio, il n'était plus là.

Ton entêtement à systématiquement ne pas répondre à mes courriels dans un délai raisonnable m'a empoisonné la vie.

J'ai essayé de comprendre pourquoi une chose aussi simple qu'écrire un courriel tous les jours, ou tous les deux-trois jours, ou même tous les trois-quatre jours, semblait impossible pour toi. Je me disais je suis d'une autre génération, d'un autre continent, d'un autre sexe. C'est normal.

J'ai tout essayé pour te faire réagir. Te répondre tout de suite. Attendre des jours avant de te répondre. T'écrire de longs courriels pleins de détails, puis des courriels très brefs, puis des courriels aimants, puis des courriels plutôt froids. Je t'ai souvent écrit deux fois, trois fois de suite.

Tu ne déroges pas à ton habitude de m'écrire quelques lignes, toujours des phrases très brèves. Tu ne m'écris pas en arrivant à Montréal, mais toujours en partant. Tu ne m'écris pas pour me dire que tu es là pour quelques semaines, mais toujours pour me dire que tu es déjà parti, probablement pour longtemps. Tu ne me donnes pas rendez-vous, il faut que je t'invite, il faut que je tombe bien, un moment où j'ai su par hasard que tu es à Montréal parce que quelqu'un t'a vu ou parce que tu donnes un spectacle quelque part. Je t'écris. Passeras-tu me voir, mon amour ? Tu ne réponds pas. Tu ne réponds pas. Tu ne réponds pas. Et soudain te voilà. Je serai chez toi demain, *baby*. J'ai hâte de te dévorer.

Quand tu entres chez moi, sans frapper, en venant directement dans la cuisine comme si tu n'étais jamais parti, j'oublie que tu es presque impossible à attraper, à saisir, à trouver. Tu es impossible à aimer, voilà, mais je t'aime quand même. J'étais à toi, tu étais à moi, c'est ce que disaient tes rares courriels et c'est ce que confirmaient les miens.

Tu n'as jamais oublié la Saint-Valentin, mais tu ne m'as jamais écrit pour mon anniversaire, sauf quand je te l'ai demandé. C'est mon anniversaire, mon amour, il faudrait m'envoyer des baisers.

Tes courriels, quand ils arrivaient enfin, me grisaient pour quelques jours. Puis je sombrais à nouveau dans un état que je ne saurais te décrire, une forme d'angoisse qui doit s'approcher de la folie et qui, finalement, se transforme en un espoir entêté.

À une époque, je n'avais aucun doute, mais vraiment aucun doute que tu laisserais bientôt ta femme pour venir vivre avec moi. Nous n'étions toujours, dans mon esprit, dans l'évaluation que je faisais de la situation, qu'à quelques semaines de ce grand dénouement.

Un jour, je t'ai écrit que je t'attendais, qu'il y avait de la place pour toi dans ma maison. Tu m'as répondu l'amour est un incendie.

Un jour, je t'ai écrit que je voulais un enfant de toi. Tu m'as répondu ma petite pute, ma petite pute à moi, je te ferai tant jouir que tu en mourras.

Un jour, je t'ai écrit que j'en avais assez, que je ne voulais plus jamais te voir, que tu m'avais blessée à mort en ne m'écrivant pas un mot pendant trois semaines. Tu m'as répondu *baby*, pour t'écrire, je dois te voir surgir devant mes yeux. Ce matin, le soleil s'est levé sur Memphis, et voilà, tu étais là, avec moi, et nous nous aimions.

Tes courriels archi-brefs mais archi-sexy, collectionnés sur des mois et des mois, ont imposé une cadence à mon existence, ont déterminé mes humeurs. La quête de ta présence a été la quête la plus importante de mon existence, je t'ai voulu à tout prix dans ma chambre rose, et tout ce qui a existé en dehors de cette quête avait pour seule fonction de m'occuper en attendant ton arrivée officielle et définitive. Il s'agissait juste, en attendant, de ne pas me laisser dépérir.

Après ta première visite chez moi, je me suis mise à imaginer qu'un jour, en me penchant à la fenêtre pour voir le temps qu'il faisait, je te verrais arriver du haut de la rue avec une petite valise verte.

J'accourrais pour t'ouvrir.

Tu irais directement dans ma chambre, ouvrirais la petite valise sur le lit, ouvrirais le placard, pousserais mes robes pour accrocher tes chemises, ouvrirais la commode, pousserais mes sous-vêtements pour ranger les tiens. Tu irais ensuite à la salle de bains, déposerais tes parfums et ta brosse à dents.

Des fois, même si je te savais au bout du monde, je surveillais le trottoir, au cas où tu aurais fait demi-tour, au cas où tu serais en train de descendre ma rue avec cette petite valise verte pour venir t'installer chez moi.

Je m'accrocherai à ce monastère, à cette chambre rose tendre, aux chants grégoriens et au chocolat des moines tant que je n'aurai pas trouvé en moi la volonté réelle de faire cesser ce manège infernal dans ma tête.

Cette fois-là, je t'ai joué un tour, je t'ai surveillé par la fenêtre pour être là, devant toi, quand tu ouvrirais la porte.

Je te vois venir de loin, marcher en dansant sur les feuilles mortes.

Tu entres dans ma maison. Ta belle tête souriante, comment ai-je pu l'attendre si longtemps sans mourir. Tu es content de me voir, tu dis bonjour, *baby*.

Je recule d'un pas, je m'appuie contre le mur, je glisse, m'effondre sur le sol.

Ta main dans mes cheveux. Tu ouvres ma chemise. Tu m'apportes de l'eau.

Je suis tombée dans les pommes. J'ai perdu les pédales. Aide-moi à me relever, Bobo, il faut sortir la tarte du four, sinon elle va brûler.

Je n'avais pas beaucoup de temps et toi non plus, nous nous sommes donné rendez-vous au parc La Fontaine. J'ai apporté un pique-nique.

Donne-moi tes lèvres. Donne-moi ta main.

Ton membre est dur, mon amour.

Dès que je te vois je suis dans cet état, *baby*.

Nous nous jetons sur le gazon. Je grimpe sur toi, avec la grande nappe à carreaux sur la tête pour cacher nos caresses. Ça nous fait une drôle de tente rouge, rose, blanche. Pas très opaque.

Tu ouvres ma blouse. Mes seins dans ta bouche.

Nous suffoquons, de temps en temps nous prenons un peu d'air en relevant un coin de la nappe.

J'ouvre ton pantalon. Ma main dans ton caleçon. Ta main dans ma culotte.

Les cris des enfants, les pleurs des bébés, les clochettes des bicyclettes, les pas des gens qui passent près de nous, les moteurs de tondeuses, de tracteurs, de motos, nous faisons partie du désordre de la ville, notre étreinte a sa place dans ce parc.

Je rentre au studio à 14 heures, bien après tout le monde. Des taches de gazon sur mes genoux. Mes cheveux ébouriffés. Ma robe froissée. Mon maquillage sous les yeux.

Charlotte rit. Elle dit qu'est-ce qui t'est arrivé Fanny, t'as une aura de tsunami.

Entre deux bouchées, un midi du mois de mars, dans ma maison de la rue Hochelaga, une invitation inattendue.

Hey, *baby*, viens donc me rejoindre à Memphis, en mai, pour quelques jours. C'est le festival. J'enregistre des chansons. Tout le monde sera là-bas.

Dans l'avion, j'ai tout mon temps pour imaginer nos retrouvailles. J'imagine que tu m'attends, impatient, des fleurs à la main. Je sors aussi vite que possible, suivie de près par ma valise devenue soudainement légère. Je me réfugie dans tes bras. Bienvenue à Memphis, *baby*. Tu as réservé dans un resto typique. Nous marchons gaiement sous les réverbères. Nous buvons comme des jeunes mariés. Nous rentrons. Nous rigolons en ouvrant le lit. Je me glisse nue sous toi. Tu me prends tout de suite, avant même de m'embrasser. Tu ne me lâches pas jusqu'au lever du soleil. Je me soumets à tes désirs secrets, muets. Je te souffle à l'oreille je suis ta petite pute en robe d'été sans sous-vêtements, je suis à toi, juste à toi.

J'ouvre les yeux. L'agent de bord m'offre à boire. Non merci. Je referme les yeux. Je fais rejouer le film. Tu m'attends, impatient, des fleurs à la main. Je sors aussi vite que possible, suivie de près par ma valise devenue soudainement légère. Je me réfugie dans tes bras. Bienvenue à Memphis, *baby*. Tu as réservé dans un resto typique. Nous marchons gaiement sous les réverbères. Nous buvons comme des jeunes mariés. Nous rentrons. Nous rigolons en ouvrant le lit. Je me glisse nue sous toi. Tu me prends tout de suite, avant même de m'embrasser. Tu ne me lâches pas jusqu'au lever du soleil. Je me soumets à tes désirs secrets, muets. Je te souffle à l'oreille je suis ta petite pute en robe d'été sans sous-vêtements, je suis à toi, juste à toi. Avant de t'endormir, tu dis, avant de fermer les yeux, tu dis je ne peux plus vivre sans toi. Alors je ne te quitterai plus.

À la sortie de l'avion, je m'enferme dans les toilettes. Je ne sens plus mon pouls. Une gentille dame s'inquiète. *Are you okay, youhou, are you okay, ma'am ?* Je me lave le visage et les mains au lavabo, je me recoiffe. Au carrousel, il n'y a plus que ma valise.

Tu n'es pas là pour m'accueillir. Je fais le tour de l'aéroport mille fois. Tu n'y es vraiment pas. En tout cas je ne te vois nulle part. La foule est dense et grouillante.

Je n'ai pas ton adresse. Ni ton numéro de téléphone. Je n'en peux plus de ma valise. Il y a toute ma vie dans cette valise. Elle est si lourde qu'elle trace des ornières dans le plancher de l'aéroport.

Mon téléphone n'a plus de pile. J'ai oublié mon chargeur. Pas grave, j'ai mon ordinateur. Je m'informe aux informations. Pour avoir le Wi-Fi dans l'aéroport, il faut une carte. Pour avoir la carte, il faut des dollars.

Pour avoir des dollars, il faut trouver un guichet automatique. Guichet, dollars, carte, code à gratter, courriels. Il y a un courriel de toi dans ma boîte.

Je ne pourrai pas être là, je pense, pour t'accueillir, *baby*. Voici mes coordonnées. Appelle. Ou viens me rejoindre. Je serai là, ou peut-être à côté, au studio.

Noter dans un carnet les coordonnées, trouver de la monnaie pour t'appeler. Je vois des étoiles. Une goutte de sueur sur mon front. Mes mains moites. T'appeler. Je ne fais pas les bons numéros. Je recommence. Ça sonne. Ça ne répond pas.

Un taxi. Où sont les taxis ? De l'autre côté de l'aéroport, madame. Je cherche mon souffle. Une file d'attente aux taxis. Il y a au moins mille voyageurs devant moi. Je vais m'effondrer, je vais m'effondrer. On me laisse passer. Le chauffeur connaît bien cette adresse. Embouteillage monstre. L'air climatisé me donne mal au cœur. Je descends la vitre. Le chauffeur la remonte. Je la redescends. *I'm feeling ill, sir.* Il me raconte l'histoire de sa ville. Il connaît l'histoire de cette ville par cœur. Je descends devant ta porte. Je sonne, je frappe, je sonne, je frappe. Pas de réponse. À côté, il y a le studio. Je sonne. Pas de réponse.

Je tire ma valise jusqu'à l'hôtel devant. Sur le panneau de la façade un peu fade, il y a une seule étoile. Le hall est miteux. Les vestiges d'une époque dorée lointaine. Un ivrogne rote dans l'escalier. Ici, on doit dormir avec des punaises. Ici, le Tennessee doit offrir ce qu'il a de pire.

On me répond *no vacancy, ma'am. No vacancy* dans toute la ville. C'est comme ça en mai à Memphis, pendant le festival.

Sur le trottoir, je fais le tour de ma valise, je regarde l'heure, je considère sérieusement l'idée de retourner à Montréal. Dormir à l'aéroport. Prendre le prochain vol. Maintenant, il faut attendre un taxi, je ne peux plus avancer d'un mètre avec cette valise.

Tu sors du studio en courant.

Baby, baby, je suis là, je me suis trompé dans le calendrier. Je pensais que tu arrivais après-demain. Je viens de me rendre compte. Je sortais pour trouver un taxi et te rejoindre à l'aéroport.

C'est toi qui montes ma valise, de peine et de misère, jusqu'au troisième étage. Tu n'oses pas te plaindre. Je ne propose pas de t'aider.

Dans l'appartement qu'on t'a prêté, il y a des piles d'albums, des vinyles, des cassettes, des partitions, un désordre organisé autour d'un superbe piano noir qui a vu passer les plus grands.

Tu m'apportes à boire. Oui, je veux bien de ce bourbon. J'en bois deux verres. Tu en bois quatre, cinq, six.

Je prends ta main. Belle main nègre adorée. Belle main nègre de musicien nègre.

Tu entames un refrain.

My love, my beautiful love
My love for you is bad
My love for you is true
What can I do

What can…

Une larme traverse ta joue. Tu l'essuies du revers de ta main.

Tu me tires vers la chambre en me faisant une promesse. Ça va être ta fête, *baby*.

Ces trois journées à Memphis ont été une très longue fête. Préparer une salade. Changer les draps. Marcher sous la pluie. Prendre une bière. Jouer du piano à quatre mains. Se glisser sous les couvertures.

Le samedi soir, quand tu es monté sur scène, la foule était en délire. Tu étais la star du festival.

Nous avons été heureux à chaque seconde. Tu l'as dit trois fois. Nous sommes heureux. Nous sommes heureux, *baby*. Nous sommes heureux. Une fois sous la douche. Une fois en mangeant l'omelette que je t'avais préparée. Une fois en sortant de scène.

Je referme ma valise avec peine. Elle est en désordre, c'est plus difficile. Je n'ai presque rien porté, tu m'as demandé soir après soir de remettre ma robe blanche. Mon look Jackie Kennedy.

Tu arrêtes un taxi sur la grande avenue. Nous laissons le chauffeur soulever ma valise et la pousser dans le coffre.

Je me tourne vers toi pour t'embrasser. Tes bras ne se tendent pas. Tu déposes un baiser léger sur mon front, un peu comme si j'étais ta sœur ou une cousine sympa, et tu tournes les talons pour t'enfoncer dans la foule. Tes épaules se balancent. Ta démarche marque un rythme, une musique que je n'entends pas, que je ne connais probablement pas.

J'ai encore fait ce rêve, j'ai dû le faire cent fois. Je me baigne avec toi dans la mer des Caraïbes. La plage est parfaite. Le soleil au zénith. Nous nous embrassons dans les vagues en riant.

Et je me réveille.

Des fois je me mets à genoux et je prie. Des générations et des générations d'êtres humains l'ont fait, ça doit servir à quelque chose.

Mon Dieu, mon Dieu, mon Dieu, si tu existes, débarrasse-moi de cet homme, ou arrache-moi le cœur.

J'étouffe dans l'air stagnant de cette chambre rose. Jésus m'énerve. La Vierge encore plus.

Dieu, je l'imagine un peu comme toi. Il pense que les choses sont bonnes comme elles sont. Il ne voit pas l'utilité d'y changer quoi que ce soit. Je sens que je ne peux pas compter sur vous pour un spectaculaire revirement de situation. Rien ne bouge, rien ne bougera, je le sais, c'est vous qui régnez.

Tu posais cette question en entrant dans ma cuisine, les mains dans les poches, le regard tourné vers la cour vide, *baby*, est-ce que tu as un homme dans ta vie maintenant ?

Au début, je ne comprenais pas cette question parce qu'il me semblait que nous étions ensemble.

Bon, évidemment, j'ai fini par aller consulter une voyante. Je ne voulais pas savoir ce que l'avenir me réservait, j'avais bien trop peur de me faire dire que l'avenir avec toi, il n'existait pas, justement. En fait, je suis allée voir une femme qui remonte le temps et dévoile les autres vies.

Elle me demande de m'étendre. Un petit canapé fleuri. Elle pose ses mains sur moi et ferme solennellement les yeux, entre aussitôt dans un état qui m'effraie assez. On jurerait qu'elle ne respire plus. J'ai l'impression très vive qu'elle ne respire plus. Au bout d'un long, long moment, elle sursaute, elle est revenue avec moi, là, dans la pièce. Elle arrive d'un lointain voyage en Europe, dit-elle. Elle est heureuse de me raconter ce qu'elle a vu. Elle dit c'est incroyable, c'est d'une telle puissance.

Dans une autre vie, assez lointaine, tu aurais épousé une frêle jeune femme qui avait mes yeux. Exactement mes yeux. C'était moi. Tu n'as pas voulu lui faire d'enfant, car tu pressentais qu'une grossesse allait la tuer tellement elle était frêle. Cette jeune femme prenait à cœur la santé des villageois, alors toute la journée elle préparait des potions à base de fleurs, de plantes, de racines. Elle soignait les enfants malades, les mères souffrantes, les vieux miséreux. Toi, pendant ce temps, tu fabriquais des meubles de bois avec la patience d'un artisan passionné par son métier. Nous étions heureux, toi et moi.

Puis une épidémie de tuberculose s'est abattue sur le village. La jeune femme a soigné, grâce à ses potions, nombre d'habitants, et elle en a sauvé plusieurs. Elle-même s'est mise à tousser et à cracher du sang. Tu insistais pour qu'elle se repose et se soigne. Mais elle n'avait pas le temps, les enfants faisaient la queue devant sa porte, et ils étaient faibles, si faibles dans les bras de leur mère.

Quand elle est morte, cette jeune femme qui avait mes yeux et qui était moi, toute frêle dans son lit de paille, tu as crié en sanglotant ma femme adorée, si tu meurs, je meurs ! Je meurs !

Et tous tes jours suivants ont été tristes, car elle t'a manqué toute ta vie.

Je me rappelle soudain qu'une fois, au coin de Berri et Sainte-Catherine, alors que nous venions de nous dire au revoir et que je te regardais t'en aller gaiement, tu es revenu sur tes pas, tu as marché vers moi l'air soudainement affolé, et tu t'es écrié si tu meurs, je meurs, tu m'entends, *baby*, si tu meurs je meurs !

J'avais ri. Cette phrase étrange m'avait semblé arriver de nulle part. J'avais alors pensé que c'étaient sûrement les paroles d'une chanson que je ne connaissais pas.

La voyante me sert un verre d'eau. Elle m'offre des mouchoirs. Elle ne sait plus quoi faire de moi. Elle me montre le chemin de la salle de bains. Je peux me mettre de l'eau froide sur les yeux si je veux.

Elle propose de me tirer au tarot, elle a tout son temps, et c'est juste soixante dollars de plus.

La voyante consulte et reconsulte toutes les cartes qu'elle possède dans ce monde. Le tarot de Marseille. Le tarot des anges. Le tarot celte. Le tarot inca. Elle voudrait tellement me faire plaisir, me dire ce que je veux entendre. Mais il n'y a rien à faire. Le message de l'au-delà est non négociable. Elle dit ma pauvre fille, cet homme ne changera pas d'idée, il est droit comme une flèche, têtu comme une mule, il t'a dit qu'il ne quitterait jamais sa femme, même pas pour toi, eh bien c'est vrai, il ne t'a pas menti, il ne la quittera pas, il ne vivra pas avec toi, il ne sera pas à toi dans cette vie. À ta place, je profiterais de ses visites, même si elles sont courtes, même si elles sont rares, même si elles te font souffrir. De toute façon, tu ne décides pas, lui non plus, vous vous verrez parce que vous devez vous voir, vous ne serez jamais ensemble, mais vous êtes inséparables.

Ce soir, j'ai un peu trop bu, j'ai acheté trois grandes canettes de Guinness au dépanneur du village. Le ciel est étoilé, j'ai ouvert la fenêtre, j'entends les bestioles s'énerver.

Je t'imagine à bout d'âge. Tu donnes un autre concert, probablement l'ultime concert, c'est ce qu'ont écrit les journaux pour la centième fois à la une, LE GRAND BOBO AKO DONNE SON ULTIME CONCERT.

Ton public est en délire. Il veut te redire qu'il t'aime, qu'il ne peut imaginer la vie sans toi. Tu t'apprêtes à retourner sur la scène pour le saluer une troisième fois, mais tu n'y arrives pas, tu ne te sens pas bien, tu te retournes vers moi, tu t'écroules dans mes bras.

Et tu meurs ainsi, de vieillesse et d'épuisement, dans les coulisses d'une prestigieuse salle de spectacle à New York, ou à Chicago, ou à Toulouse, oui, c'est probablement à Toulouse.

Je m'occupe de tes funérailles, c'est une grosse affaire. On veut écrire ta biographie. Je refuse de témoigner, de parler de ton intimité, ce que je sais de toi n'appartient qu'à moi. Pas question de partager.

Je ne suis plus jeune, mais il me reste tout de même plus ou moins vingt ans à vivre. Il va falloir que je m'occupe.

Je fais mes valises. Je débarque dans ton pays natal avec ma guitare. Il y a des centaines d'orphelins dans les rues. Je leur apprends à chanter. Ils ont de belles voix puissantes. Je leur prête ma guitare. Ils la prennent avec délicatesse, comme un objet sacré. Pour les percussions, je n'ai pas à leur apprendre, ils ont ça dans le sang. J'achète des saxophones, je trouve un piano. C'est comme ça que les orphelins de ton pays deviennent musiciens et chanteurs, et même danseurs.

En quelques années, je te multiplierai à l'infini, Bobo Ako.

J'ai sauté dans mes talons hauts, puis dans un taxi, et je suis descendue au La Tulipe. Je suis entrée comme une flèche, je suis allée directement sur la piste de danse. Et je ne l'ai plus quittée avant la fermeture.

Tu ne m'écrivais jamais la fin de semaine. Si je n'avais pas eu de tes nouvelles le vendredi matin, je pouvais être certaine de ne pas en avoir avant le lundi. Cette habitude, je la détestais plus que toutes tes autres habitudes. Un vendredi soir, alors que je faisais le constat, nouveau constat, de ton silence cruel, quelque chose a fendillé dans ma poitrine. Je me suis élancée comme une enragée sur ma collection de disques, j'en ai sorti tous tes albums, je les ai cassés, piétinés, jetés. J'ai lancé le sac de poubelle dehors. Le diable s'était saisi de moi. Puis j'ai sauté dans mes talons.

J'ai ramené un Haïtien à la maison.

Je l'avais vu tout de suite, j'avais dansé jusqu'à lui. Il sentait bon, il avait du style. Ses épaules larges, ses bras musclés, ses fesses rebondies, dures comme de la pierre. C'était un homme qu'on aurait dit presque irréel tellement il était parfait. Et son parfum, par vagues – je pense que c'était un Burberry –, me montait à la tête. Il a suffi que je me plante devant lui en souriant. Le travail était fait. C'est comme ça avec les Blacks, ces choses-là ne sont pas compliquées.

Il était ingénieur. Il aimait le blues. Il a dit je veux t'entendre jouer de la guitare.

Le lendemain matin, il est parti de chez moi très vite. J'ai essayé d'être courtoise, mais j'avais du mal à cacher ma mauvaise humeur. Il m'a promis de m'écrire, de m'inviter chez lui, au début j'ai cru qu'il avait dit ça par politesse.

Dans son salon, il y avait une image qu'on ne pouvait pas manquer, *L'origine du monde*, de Courbet. À mon anniversaire, il m'a envoyé par courriel l'image de la toile d'Ingres, *Le bain turc*. Il disait que je sortais tout droit de cette toile. Dans son regard, je me sentais bien, on aurait dit que j'avais inventé la féminité. On a parlé de mon ventre une seule fois. Il a embrassé ma cicatrice pour clore le sujet.

C'était un pur et dur. Il cachait des préservatifs dans toutes ses poches, pantalons, vestons, sacs, il aimait être toujours prêt, il ne se gênait pas pour me le dire.

Une fois je suis montée sur lui en serrant très fort ses poignets, j'ai retenu ses bras sur l'oreiller. Je prenais mon plaisir sans lui demander ce qu'il en pensait. Il aimait ça, il aimait ça de plus en plus, même, je dirais. Il poussait des ah! de plaisir émerveillé. Puis il s'est écrié ah oui! Maîtresse! Fais ce que tu veux de moi, maîtresse!

Ça m'a estomaquée. Je n'avais pas mesuré, avant cette nuit-là, la place que pouvait prendre l'Histoire dans un lit.

Le lendemain, je lui ai dit à bientôt, mais j'ai cessé de répondre à ses appels. Puis au bout de quelques semaines, je l'ai rappelé. Il ne voulait plus me parler, je ne le méritais pas, a-t-il ajouté.

La peau des hommes noirs est naturellement imbibée d'un parfum imaginé par Dieu pour faire basculer la femme blanche (peut-être la femme noire aussi, mais ça, je ne le sais pas). Une formidable odeur d'épices, quand on ajoute à ça un parfum de grand couturier et les jolis tissus de couleur, les jolis cotons, soies, lins que les Noirs portent gaiement, on a devant soi un volcan, en tout cas une matière explosive, et il suffit d'y ajouter un petit détonateur (sourire, geste, allusion, ou invitation directe) pour provoquer l'explosion. La femme blanche qui n'a jamais goûté un Nègre en jeans, chemise rose, parfum suave de terre et d'épices n'a jamais rien goûté, c'est ce que je dis à mes amies, si vous n'avez pas fait l'amour avec un beau Nègre parfumé, aussi bien dire que vous n'avez jamais fait l'amour. Celles qui connaissent la peau noire sont d'accord avec moi. Nous sommes d'accord aussi pour dire que si l'homme noir est facile à attraper, il faut accepter de le partager, on ne sait jamais avec combien de femmes on le partage, mais l'idée de la facilité vient justement du fait qu'il n'est fidèle à aucune.

La dernière fois que j'ai embrassé un Noir, c'était la veille de mon départ pour l'abbaye. Je suis sortie à la Taverna avec une amie à moi qui se balade dans une robe à pois audacieuse, les lèvres rouges et les yeux perçants. Elle a cinquante ans. Sa sensualité crève les yeux. Elle désire un Français qui lui fait faux bond sans arrêt. Elle est mariée à un Québécois qui ne bouge pas de devant son téléviseur.

Combien de Nègres ont dormi à ta place dans ma chambre rose ? Je ne sais pas. À un moment, j'ai cessé de les compter. Des fois, j'avais honte. Même si je suis une femme libre, j'avais honte. Le matin, quand j'ouvrais les yeux et que je découvrais une tête crépue sur l'oreiller rose, une tête qui n'était jamais la tienne parce que tu n'as jamais passé la nuit chez moi, tu me manquais encore plus. J'avais honte parce que tous ces hommes étaient des hommes de remplacement. Je retrouvais ta peau (noire et douce), tes lèvres (charnues), tes fesses (rondes et dures), ta démarche (désinvolte). Ils avaient les bras grands, mes amants noirs, et ils aimaient les formes. Je n'ai jamais eu peur, avec aucun d'eux, de faire comme si j'étais superbe. Ils m'ont tous traitée comme si je l'étais. Ils insistaient pour me revoir, ils disaient je suis fou de toi. Je riais, je disais tu exagères, de toute façon ce n'est pas possible, mon cœur est pris.

Chaque fois que j'ai fait l'amour avec un Nègre, je l'ai fait parce que tu me manquais. En faisant l'amour avec un Nègre, je fais l'amour avec toi si je ferme les yeux.

J'étais donc à la Taverna, l'autre soir, et ils sont entrés. Ils étaient trois. Ils rigolaient. Il n'y en a jamais beaucoup, des Noirs, à la Taverna. C'est d'ailleurs la raison pour laquelle je me suis mise à fréquenter cet endroit; j'espérais leur échapper, arrêter de te chercher partout. Je trouve qu'il est temps que je pense à une relation sérieuse avec un Blanc né en Abitibi, en Estrie, à Rimouski, un Blanc du terroir. Je n'y crois pas trop, mais je suis prête à essayer encore.

L'un des trois se dirigeait vers la piste de danse, l'air décidé. Voyant ça, j'ai fui à l'autre bout de la salle, l'endroit le plus éloigné possible, le plus discret possible, de manière à échapper à son radar de grand Noir magnifique, oh! tellement magnifique! Il devait mesurer plus d'un mètre quatre-vingts. Avec ses grandes mains agiles, ses lunettes et son veston bleu marine, il avait de la classe. Je préférais ne pas savoir, pour le parfum... Je lui tournais le dos, j'essayais de penser à autre chose, et la foule des danseurs formait un rempart entre lui et moi. Je me croyais à l'abri.

Une main sur mon épaule. J'ai sursauté. J'ai failli m'évanouir en me retournant. C'était lui. Il m'a prise par la taille sans hésiter une seconde, comme si je lui appartenais déjà. Il m'a dit je veux t'épouser, et je vais te faire l'amour ici même si tu continues de me regarder comme ça.

Tu vois, c'est ça que je veux dire, il n'y a pas un Blanc sobre capable de tricoter une phrase pareille à une femme, dans ce pays.

Nous avons dansé ensemble au centre de la piste. Je voyais dans le regard des Blancs qu'ils pensaient ça y est, encore un Noir qui nous a encore volé une Blanche.

Il était passé minuit. Il a dit je t'emmène au Balattou. J'étais d'accord. Je n'avais jamais osé mettre les pieds là. J'en rêvais.

Un endroit pareil, ça ne s'invente pas.

Je m'attendais à tout, je n'ai pas été déçue. Je ne saurais pas l'exprimer autrement, mon sang s'est figé dans mes veines. J'ai eu un choc. Il y avait là des hommes de toutes les couches sociales, tous noirs, et des Négresses magnifiques, mais surtout, et c'est ce qui sautait aux yeux dans cette ambiance bleu foncé, des femmes blanches, très blanches, très mûres, très rondes, aux cheveux teints, au maquillage criard, ayant toutes opté pour le décolleté et la jupe courte, même sur des seins tombants, même sur des cuisses fortes. Je ne les ai pas trouvées belles, mais je les ai trouvées courageuses, et j'étais contente d'être là avec elles toutes, parce que même si j'étais un peu plus jeune, et que mon décolleté ne faisait pas le poids, je savais comment elles se sentaient : nous avons été abandonnées par l'homme blanc, parce que nous n'avons pas de gros seins fermes sur un corps de chat. Moi, en plus, je traîne cette cicatrice sur mon ventre, et l'homme blanc ne veut pas de ça dans son lit.

Le standard de l'homme blanc.

Le Balattou débordait ce soir-là, comme tous les soirs semble-t-il, de Blanches qui refusent de troquer le talon haut contre la robe de chambre, qui ne veulent pas se masturber seules dans leur lit pour le reste de leur vie parce qu'elles n'ont toujours que cinquante ans, soixante ans tout au plus. Où s'en va l'amour si on ne peut plus séduire à cinquante ans parce qu'on a l'air d'avoir cinquante ans ?

Il n'y avait pas l'ombre d'un Blanc dans cet endroit. Le Balattou est un refuge pour tous ceux et celles qui n'ont plus rien à partager avec lui le vendredi soir.

Je n'irai pas souvent au Balattou, en tout cas pas toute seule, parce que j'ai été trop impressionnée. Les Noirs qui vont là depuis des années ont envie de nouvelles têtes, et j'ai bien senti qu'on m'avait repérée. J'étais certaine que j'allais me faire dévorer, j'osais à peine bouger, je regardais mes pieds. Mon beau grand cavalier a disparu dans les toilettes, je me suis réfugiée au bar, timide comme je ne l'avais pas été depuis l'enfance. Quand il est revenu, je l'ai embrassé une dernière fois, et je suis sortie en essayant de ne pas courir, en essayant de soutenir les regards et de répondre aux sourires. Finalement, ça m'a terriblement excitée.

Un taxi attendait devant. Le chauffeur, un Haïtien, écoutait à la radio haïtienne des nouvelles de Port-au-Prince. Il m'a dit bonsoir, madame, que vous êtes belle ce soir, madame, j'espère que vous avez été gâtée au Balattou.

Très gâtée, monsieur, je vous le jure.

J'ai écouté les nouvelles de Port-au-Prince avec lui.

Des fois, je ne sais plus dans quel pays je vis. Je ris en écrivant ça, je ne sais plus dans quel pays je vis.

Entre le monastère et le village, il y a quatre kilomètres. Je m'y rends deux fois tous les jours. Ça fait seize kilomètres par jour. Je suis fière de ça. Je retourne, on dirait, au temps de mon enfance, parce que j'aimais aller à l'église, et me balader seule dans la nature, et rêvasser doucement toute la journée. Voilà. Rêvasser. Dans ma petite chambre rose, avec Jésus sur sa croix et Marie qui me regarde du coin de l'œil, je rêvasse. Tu passes et repasses dans mes rêveries, et je suis obligée de t'écrire pour ne pas imploser.

À force de piétiner ce petit carré de terre sec, je vais me lasser, il faut que je m'en lasse, je sens que je vais déjà mieux. J'arrive à imaginer ma vie autrement qu'avec toi.

Sur la route qui mène au village, je parle à voix haute. Je réponds aux oiseaux en imitant leurs chants. Je chante. La chaleur torride me tape sur la tête. J'ai chaud, je reviens trempée, je me change et je rêvasse encore. Je vais aux laudes, je vais à la messe de 11 heures, puis encore à la messe de 15 heures, et les chants grégoriens montent dans mon corps, et j'ai envie d'ajouter un *beat* à ces voix effacées. Je me retiens de ne pas taper des mains en ajoutant des ooooohhhh! complètement blues. Je t'imagine avec eux, dans le chœur, avec ton micro et ta démarche sexy, je te vois mettre le feu à tout ça, et je sors ma guitare et les murs du monastère s'effondrent.

Il y a des soirées qui sont terriblement difficiles, je dirais même que la plupart des soirées, les soirées où je suis seule à la maison, se terminent dans une espèce d'état malheureux. En fait, je tombe systématiquement dans les excès. Tout ce que les célibataires font, le soir, pour oublier un peu leur solitude, je l'ai fait. Boire trop. Manger trop. Essayer d'apprendre à jouer de la trompette. Appeler des voyantes.

Au studio, il passe beaucoup de monde. Après que j'ai reçu ce prix, à New Orleans, Stéphane l'a accroché au mur, et ç'a changé le regard des musiciens sur moi. En plus, j'ai commencé à porter des décolletés. J'avais soudainement beaucoup d'attention. J'ai eu des *dates* avec des Blancs et des Noirs. Avec les Blancs, ça n'allait jamais très loin, je veux dire pas plus loin qu'une bière partagée, des fois on mangeait ensemble, mais je l'ai toujours regretté. Les Blancs, j'ai l'impression de les décevoir. Ils ont envie de me faire la morale, on dirait.

Ils ont envie de m'apprendre des choses, ils sont paternalistes avec moi. Ça m'énerve.

Avec les Africains et les Haïtiens, c'est sûr, ça finit presque systématiquement au lit. Même si on n'a pas le coup de foudre, on se fait cette politesse. Ce qui est désagréable avec eux, c'est qu'ils ne posent pas de questions. Ils parlent d'eux, et si on les écoute gentiment, ils bandent.

La plupart du temps, je me sens pathétique en présence d'un autre homme que toi, noir ou blanc, parce que je ne pense qu'à toi, je ne veux que toi, et tout le temps que ça dure, je me regarde en me disant que fais-tu là, tu n'es pas au bon endroit, retourne chez toi tout de suite purger ta peine et attendre ton homme.

Ton meilleur ami ne savait pas que nous nous fréquentions. Je me suis retrouvée avec lui en coulisse pendant un show à Montréal. C'est un Black fabuleux. Il fait avancer l'Histoire chaque fois qu'il ouvre la bouche. Ce soir-là, il voulait m'inviter au restaurant. Il était sur ma trace. Je lui ai dit mon cher Guilmy, il y a une chose que tu dois savoir, je suis amoureuse de Bobo, nous sommes amants.

Il a reculé de deux pas. Puis, dans un extraordinaire élan d'amitié, il m'a prise dans ses bras en s'écriant alors tu es ma belle-sœur !

On a fêté ça avec une montagne de fruits de mer et du champagne. Un des repas les plus gais de ma vie. Mais avant, on a donné un show mémorable. Je te jure, on a fait vibrer l'île de Montréal. On aurait voulu que tu sois là.

De temps en temps, on répète ensemble. Je pense qu'on fait un bon duo. Après les répétitions, on va manger du poulet portugais. On ne parle pas de toi, mais on sent ta présence entre nous.

J'avais loué une voiture, je roulais direction Mont-Tremblant, les vitres baissées, ma guitare dans le coffre, la musique à fond, j'écoutais B. B. King. Le temps était chargé, il pesait des tonnes.

On m'avait invitée au festival parce qu'on avait soudainement découvert que j'avais gagné ce prix à New Orleans. Je savais que tu y serais aussi, j'avais vu ton nom sur le programme, j'étais très nerveuse, affolée à vrai dire, je craignais les blessures, je pouvais m'attendre à tout, surtout à ce que tu fasses semblant de ne pas me connaître, surtout et encore plus à ce que les femmes se frottent à toi devant moi. Quand je suis entrée dans le village, mon cœur avait cessé de battre et je n'arrivais même plus à avaler une gorgée d'eau.

Au pied de la montagne, une soirée organisée pour accueillir les artistes. J'entre en courant, trempée, l'orage a éclaté. Tu es là, au centre de la place. La surprise sur ton visage.

Tu t'assois à côté de moi. Nous retirons nos chaussures. Sous la table, ton pied gauche humide sur mon pied droit humide. Les gens passent te serrer la main. Quand quelqu'un t'énerve, tu appuies un peu plus fort sur mon pied. Nous rions dans nos verres de bière.

Tu me présentes ton fils, il veut la clé de votre chambre, il doit se changer. Il a un concert ce soir.

À la tombée de la nuit, toc toc à la porte de ma chambre. Je me dépêche d'aller t'ouvrir, tout le monde te connaît ici, pas question qu'on te voie entrer chez moi.

Je suis déjà en tenue légère puisque les déshabillés sont permis, la nuit, à la campagne, dans ton carnet des préférences.

Les sens sont excités par les promesses du festival, par l'air devenu frais, par l'alcool, je mettrais ma main au feu que ça fait l'amour dans toutes les chambres, ce soir.

Je me tourne sur le ventre, j'aimerais ne pas penser à mon ventre pour une fois, tu me prends comme ça, debout au pied du lit, et je te donne tout pour que tu me pénètres encore mieux, ton membre me traverse et me retraverse avec force.

Au milieu de la nuit, tu sors de ma chambre sur la pointe des pieds, ton t-shirt dans une main, tes souliers dans l'autre. Une porte s'ouvre en face de la mienne. C'est un journaliste. Vous vous connaissez bien. Heureusement, il sort lui aussi d'une chambre qui n'est pas la sienne.

Bonsoir, Bobo. Tout se passe comme tu veux ?

Oui, merci. Je faisais une balade par là. Il fait chaud, dans cet hôtel. Toi, ça va ? T'es sûr ?

À 15 heures, samedi après-midi, je monte sur scène. Tu es dans la foule. Je t'ai vu, comment ne pas te voir, tu portes ton t-shirt jaune moutarde à motif d'éléphants bruns. Il n'y a que toi pour porter un t-shirt pareil à Tremblant.

Ton regard intransigeant. La première note. Ma voix s'élève dans la nature laurentienne. Le son est bon. Tes bras croisés, ton menton sur ta poitrine, tes yeux terribles derrière tes verres fumés. J'entame le premier couplet. Tu relèves la tête, décroises les bras, glisses les mains dans tes poches. Couplet, refrain, couplet, bridge. La dernière note. Le public hurle.

Oui, j'ai une autre chanson pour vous. Vous aimez le blues ? Eh bien moi aussi, depuis toujours, j'aime le blues. J'en ai plein les poches, pour vous, du blues.

Tes bras le long de ton corps. Tu as relevé tes lunettes sur ton front. Comme ça tu as quatre yeux. Tu vois tout. J'ai peur que tu partes avant la fin. Ne pars pas, ne pars pas, ne pars pas. Mais non, tu ne pars pas.

Tu ne bouges pas, tu restes avec la foule. À la fin, tu applaudis en riant. Tu as l'air heureux. Je quitte la scène après un long salut, la main sur le cœur. C'est à ce moment que j'ai le trac.

Au milieu de la nuit, ton fils fait la fête, il n'est pas rentré, tu traverses de nouveau le couloir, tu entres dans ma chambre, tu t'assois au pied de mon lit, l'air inquiet, comme un petit garçon on dirait.

Le gars du son, t'es amoureuse de lui.

Ben non… non, je le trouve sympathique. On travaille souvent ensemble.

Tu le regardes avec amour.

Je regarde tout le monde avec amitié, tu le sais, j'aime les gens. Toi, Bobo, je te regarde avec amour.

Tourne-toi, *baby*, montre-moi encore tes fesses. À Tremblant, c'est comme ça qu'on fait l'amour.

J'ai eu une bonne idée de venir ici, à la campagne, au monastère. Je vais mieux, tellement mieux, je revis, on dirait, ma guitare me manque, mais pas Montréal, pas le studio, pas ma maison. Ici, parmi les arbres, dans la verdure, il y a de la place pour te raconter ça. Ici, je n'ai pas besoin de fermer les yeux pour te voir. Tu marches toujours devant moi, toujours les mains dans les poches, toujours désinvolte. Ton pantalon toujours un peu trop grand. Ta chemise toujours un peu froissée. Tes épaules se balancent. La musique t'accompagne. Elle est dans ta tête et dans ton corps. Juste à te regarder marcher, on sait que tu es musicien. Retourne-toi. Embrasse-moi. Moi qui ne te demande jamais rien. Embrasse-moi maintenant devant Jésus sur sa croix.

Tu entres dans la maison, je suis déjà en émoi. Tu tournes autour de moi, je coupe le pain. En trois secondes, ton parfum est dans toute la pièce. Je coule, je coule, si tu ne fais rien je vais me noyer. Je t'offre une bière. Je lève les yeux sur toi. Je te frôle en passant près de toi, je mets la table.

Nous mangeons, toi doucement, moi un peu plus vite. Tu te lèves brusquement, au milieu d'une phrase.

Nous laissons le repas aux mouches.

D'abord, je caresse ton ventre. Ton ventre à toi est parfait, il me console du mien. Je t'embrasse, tu me goûtes. Nous nous regardons de près. Nous nous examinons pour nous reconnaître, comme deux petites bêtes qui se retrouvent. C'est bien ton odeur, ce parfum a été inventé pour que je t'aime. Ta peau lisse. Sa couleur varie un peu ici et là. Elle est mince, ta peau. Usée. Tu es vieux, mon amour. Ton sexe superbe. Tu glisses sur moi. Tu ne bandes plus comme autrefois, j'imagine. Moins férocement, je suppose. Mais je jouis quand même. De toute façon, nous ne parlerons jamais de mon ventre, de même que nous ne parlerons jamais de ta puissance perdue.

Je choisis une image. Ton visage près du mien. J'en choisis une autre. Ta démarche désinvolte dans les rues de Montréal. Tu éclates de rire. Tu te retournes vers moi. Mais tu ne me prends pas dans tes bras, tu ne m'embrasses pas. Des gens te connaissent ici. Tu es marié. Ton fils aussi est musicien. Il t'accompagne souvent. Il faut quand même être un peu prudent. Pas tout le temps. Mais parfois.

En fait, je ne comprends pas la logique de ta prudence. Ça dépend de la ville où nous sommes. Du quartier. De l'heure du jour. De ce que tu sens ou pressens. Je ne fais jamais le geste de t'embrasser la première, de te prendre la main. C'est toi qui décides si le moment est bon ou pas.

Il t'arrive même de carrément m'ignorer. Surtout dans les foules d'admirateurs ou de gens du milieu. Dans les loges et les coulisses, tu salues, embrasses, complimentes toutes les femmes sans même me regarder, en me tournant le dos, en me poussant pour passer. Ça arrive trois ou quatre fois, puis ça n'arrive plus, parce que je fais en sorte de ne pas me trouver là. Ton indifférence feinte me donne la sensation d'être un petit animal piégé.

Une fois, je me rends à un lancement dans l'espoir de te voir. Tu es déjà là. Je marche vers toi. Tu m'as vue surgir dans la foule. Tu te dégages d'une admiratrice excitée. Tu te tournes vers moi. Tu me demandes si par hasard j'ai vu ton épouse dans les parages, si je sais où elle est passée, tu la cherches. Une autre fois, je te rejoins au bar du Lion d'or après un concert-bénéfice. Tu me salues froidement, tu te retournes pour commander quelque chose. Je dis je ne serai pas ici très longtemps. Tu réponds que c'est bien, que tu me souhaites une bonne soirée, au revoir. Le lendemain, tu m'écris pour me dire que j'étais si belle, si belle, devant toi au Lion d'or, que tu as hâte de m'embrasser.

Je ne te pardonnerai jamais ça.

Je le dis à voix haute dans ma chambre rose de la villa Sainte-Scholastique, je le répète en plein jour juste avant la messe de 11 heures, je ne te pardonnerai jamais tes agissements à mon égard en public, dans les loges, dans les coulisses, dans les bars, après les concerts, dans les studios. Je te pardonne tout, mais ça, jamais, jamais, jamais je ne te le pardonnerai.

La Vierge se détourne de son petit Jésus pour me regarder dans les yeux, elle a les joues inondées de larmes de sang. Elle dit que je dois te pardonner pour l'amour de Dieu et de mon prochain, car les Hommes sont faibles et l'amour véritable est grand.

Je lui réponds d'aller se faire foutre.

Je n'avais plus de tes nouvelles, je me disais heureusement, c'est une chance qu'il soit disparu, je recommençais à vouloir t'oublier pour toujours. Pour me changer les idées, Charlotte m'a présenté un ami à elle, il venait au studio pour la première fois, il m'a plu tout de suite.

Il était blanc, il n'était pas marié. Ça commençait bien. J'ai aimé son regard intelligent. Il jouait de la contrebasse dans un trio. Ils ont enregistré tout un disque avec nous. À la fin du boulot, il m'a invitée à manger chez lui.

Il avait acheté des fleurs et mis du vin rouge au frais, pas longtemps, juste pour dire. Il avait préparé du poulet au beurre, du riz basmati et d'autres mets indiens très compliqués. Il y avait passé la journée.

Je me suis laissé inviter trois fois avant de l'embrasser. Ça me faisait trop plaisir de me faire servir comme une princesse, ça m'émouvait de savoir qu'on avait préparé un repas pour moi, en pensant à moi. Je souriais sans arrêt, je donnais le meilleur de moi. J'étais reconnaissante.

On rigolait beaucoup, ça compensait tout le plaisir qu'on n'arrivait pas à se donner dans son lit king. Il avait besoin de films érotiques pour s'exciter. Je trouvais ça déprimant. Pour ne pas tuer ses sursauts d'ardeur, je portais une jaquette sur ma cicatrice.

Un soir que j'étais chez lui et qu'il repassait sa chemise pour un concert, je me suis enfermée dans la salle de bains pour lire le courriel que je venais de recevoir de toi.

Tu revenais d'un long voyage, tu repartais pour un autre, tu disais que j'étais partout avec toi, que tu m'avais vue surgir au bout d'une rue, que j'étais dans ton cœur comme une chanson portugaise, douloureuse, mélancolique, que si tu m'attrapais, moi, ta femme, tu me ferais tant jouir que je te supplierais de me laisser me reposer.

Je t'ai relu dix fois, peut-être cent.

J'ai repris ma brosse à dents dans le tiroir, ma jaquette dans la chambre, ma veste dans le placard, j'ai jeté ça pêle-mêle dans un sac en plastique et je suis partie exactement comme tu pars, toi, sans émoi, sans épanchement, tout bonnement, sans dire au revoir, sans dire merci, sans me retourner.

Cette histoire de mon voyage en Suisse a commencé au cœur de l'été, chez moi, je pense que c'était au moins une année après Memphis, peut-être même deux. Il faisait terriblement chaud. Nous mangions gaiement dans la canicule montréalaise. Tu as parlé de Montreux. Pourquoi as-tu parlé de Montreux, toi qui voyages tant, toi qui voyages tout le temps, sans jamais me dire où tu t'en vas ? Tu as soudainement parlé de Montreux. Tu allais t'y installer un moment. Des musiciens t'attendaient là-bas. Nouveau concert. Nouvel album. Je ne sais pas quoi. Ç'avait un lien avec le festival, mais ce n'était pas le festival. Tu as dit viens me rejoindre là-bas un moment.

Je me suis tout de suite vraiment emballée. Un peu trop. Tu as dit calme-toi, *baby*, ce n'est tout de même que dans plusieurs mois.

Il était trop tard. Dans ma tête, les mois fondaient. J'avais traversé l'Atlantique. J'avais frappé à la porte de ton appartement. Rencontré les musiciens de Montreux.

Essayé le piano. Acheté des croissants pour ton petit-déjeuner. J'étais déjà dans ton lit toutes les nuits, mon Dieu combien de nuits aurions-nous, il n'y en aurait pas assez de toute façon. J'embrasserais tes mains souvent. Mains bénies de musicien. Tu embrasserais mes yeux, tu mettrais ta tête sur mon ventre, tu dirais tu es belle. Nous ferions l'amour tous volets ouverts au cœur de l'après-midi. Je jouirais assez fort pour rendre les voisins fous. Ce serait formidable, Montreux.

J'ai cru que cette invitation à Montreux était le signe que quelque chose venait de bouger. Le destin s'activait, j'en avais la très forte intuition.

À quelques semaines de ton départ, tu es venu chez moi. Je t'ai demandé quand exactement je devais aller te rejoindre à Montreux. Tu as changé de sujet. Je n'ai pas osé insister.

Mon entêtement à ne pas voir que tu avais changé d'idée était tel que j'ai acheté mon billet, j'ai quand même acheté mon billet, peux-tu croire que j'ai acheté ce billet d'avion.

Je serais en Suisse trois semaines, je partirais un peu après toi, je reviendrais un peu avant toi. J'avais évalué que ça te donnait une grande marge de manœuvre pour m'inviter quelques jours chez toi, peut-être toute une semaine. Je n'osais pas espérer davantage, mais au fond j'en rêvais.

Le jour de mon départ, nous avions cessé de nous écrire depuis presque trois semaines. Tu m'avais envoyé un courriel pour la Saint-Valentin. Voyant que je ne te répondais pas, tu m'avais écrit, le 15 février, un autre courriel, encore plus mielleux que le précédent. Mais tu ne reparlais toujours pas de Montreux. Tu t'obstinais à ne pas reparler de Montreux. Ton extraordinaire mutisme m'humiliait. Il n'était pas question que je descende plus bas. Je n'ai pas répondu. J'ai attendu un troisième courriel. Mais tu t'es définitivement tu.

Je suis partie pour la Suisse avec la tête d'un condamné.

Il pleuvait des cordes sur Montréal. Je marchais dans la rue Hochelaga en traînant les pieds, tirant avec peine ma valise presque vide. Au bout de trois minutes, j'étais trempée. Je n'avais pas encore décidé si je prendrais le métro et l'autobus ou le taxi. Je n'avais même pas encore décidé si je prendrais cet avion.

Un taxi s'est arrêté à ma hauteur. Au volant, un sourire haïtien. Ça jurait dans la grisaille. Vous voulez un transport, madame ? Je peux vous amener à l'aéroport pour pas cher. Allez-y à pied si vous voulez, mais en taxi vous ne raterez pas votre avion.

Dans l'avion, ma voisine m'a bien divertie. Suisse d'origine, elle était tombée amoureuse d'un Québécois, élevait des vaches et des chevaux à Cap-Saint-Ignace, au bord du fleuve. Elle avait des photos de chacun de ses animaux, à travers toutes les saisons. À la fin je connaissais le nom de chacune de ses bêtes. Yolande, Flo, Julie, Paulo, et ainsi de suite. Je faisais des oh ! et des ah !, plonger dans sa vie me gardait hors de la mienne. Elle m'a parlé de Vevey, sa ville natale, une jolie ville juste à côté de Montreux, au bord du lac Léman. Elle répétait tu devrais y aller, tu devrais y aller, c'est si beau et les gens sont si gentils.

La Suisse ne m'attendait pas. Il faisait vraiment mauvais quand je suis arrivée. Ça m'a donné le cafard, tu ne peux pas t'imaginer le cafard que j'avais. Je m'étais attendue à un chaud soleil printanier. J'ai sorti de mon sac une veste en cuir que j'ai enfilée sous mon imper en coton blanc. Ce n'était pas suffisant pour couper le froid et l'humidité.

L'hôtel où j'avais retenu une chambre n'avait pas de réception. Une note sur la porte dirigeait les clients vers un club vidéo pas loin de là. Une dame m'a lancé les clés.

La chambre était sombre. La salle de bains, inquiétante. J'ai déposé mes bagages. Je suis partie à la recherche de quelque chose à manger.

Le vent et la neige se sont mis de la partie, de gros flocons s'accumulaient sur ma tête. Les gens portaient des bottes, des bonnets, des gants. J'avais l'air d'une touriste qui s'est trompée de pays.

La première chose qui m'a intéressée, au supermarché, ce sont les fraises. J'ai examiné les pommes, puis les bananes. J'ai finalement parcouru tout le rayon des fruits et légumes, puis le rayon des viandes, puis chacune des allées, poisson, savon, alcool, pâtes, noix, pain, chocolat. La nourriture, dans ce pays, était hors de prix. Dans ce vaste supermarché, deux heures après mon arrivée, je me suis rendu compte que ce voyage était impossible, improbable, que j'allais frapper un mur. Pour la première fois de ma vie, je ressentais la peur réelle de manquer de l'essentiel.

J'ai finalement acheté une banane, un petit pain et une bière. C'est ce que la Suisse offrait de moins cher.

Le lendemain matin, j'ai filé à la gare. Il fallait que je bouge, que je balade mes angoisses. L'immobilité me paraissait pire que la faim et la soif. Et puis j'avais rêvé, depuis mon enfance, de voir les Alpes. Je pense que c'est à cause de Heidi et de Sissi l'impératrice. En tout cas, elles ont quelque chose à voir avec ça, car je n'ai pas arrêté de penser à elles pendant ce voyage.

Le trajet en train a été un enchantement. Plus je m'enfonçais dans le pays, plus j'étais éblouie. Le brouillard s'est totalement dissipé, un soleil puissant a surgi entre les montagnes. Je changeais de siège sans arrêt. Je voulais tout voir en même temps.

J'ai trouvé un endroit au cœur des Alpes, à l'auberge de jeunesse de Lauterbrunnen. Il y avait des chambres individuelles, mais les dortoirs étaient nettement moins chers.

Quand l'aubergiste a ouvert la porte du dortoir des femmes pour me montrer ma place, le deuxième étage d'un lit superposé, et que les quatre jeunes

Japonaises qui y étaient déjà se sont tournées vers moi pour me saluer poliment, j'ai eu l'impression très puissante d'entrer de plein fouet dans le mur que j'avais anticipé.

À la boutique de sport du village, j'ai acheté un manteau de ski en solde, un manteau fuchsia dont personne n'avait voulu et qui, sans être trop petit, était loin d'être trop grand.

Mes cochambreuses passaient leurs nuits à recevoir et à envoyer des textos. Je dormais par à-coups, réveillée par les sonneries agaçantes de leurs alarmes, les lumières vives de leurs écrans. Le jour, je n'arrivais pas à faire la sieste. Elles laissaient leurs vêtements détrempés – chaussettes, culottes, serviettes – accrochés aux quatre coins de la chambre. L'air ambiant, chargé d'humidité et d'odeurs corporelles, me dégoûtait. Mais ce qui était pire que tout, c'était de dormir le nez collé au plafond.

Dans un courriel larmoyant, je me suis longuement plainte à mon amie Charlotte. Je n'ai plus l'âge pour ça, Charlotte, dormir le nez collé au plafond dans une chambre humide avec quatre jeunes filles insomniaques ! À mon âge, tu vois, on fréquente des hôtels à plusieurs étoiles, avec un mari aimant et on fait des enfants.

Elle m'a répondu un jour tu seras si vieille, tout deviendra vraiment impossible, même pisser toute seule.

Elle est comme ça, Charlotte, elle remet les pendules à l'heure.

Je ne me sentais pas la volonté de parler aux autres voyageurs. Ma facilité habituelle à communiquer s'était dissipée dans le brouillard épais de la mélancolie. Je me suis réfugiée dans un mutisme dont je ne me croyais pas capable.

Je t'imaginais en studio à Montreux avec une bande de joyeux musiciens. Ou au restaurant avec une jolie Suissesse. Ou avec ta femme à t'emmerder beaucoup. Ça, c'était mon scénario préféré. Remarque, tu ne m'as jamais dit que tu t'emmerdais, avec ta femme. Mais nous, les maîtresses, on a l'habitude de voir les choses comme ça.

Un matin, emmitouflée dans mon nouveau manteau fuchsia super sexy, je suis partie marcher dans la montagne. Les mains dans les poches, deux paires de chaussettes dans mes souliers, je me suis aventurée dans la nature alpine.

La beauté crue de la lumière sur la neige. L'hiver fondait, ça s'entendait à cause des ruisseaux qui ruisselaient. Les oiseaux se faisaient la cour. Ils ne chantaient pas, ils hurlaient. J'étais émue. Je me prenais pour la joyeuse Heidi, je me prenais pour la triste Sissi l'impératrice.

J'étais décidée à aller le plus loin possible, le plus haut possible, Ferland m'accompagnait. Un peu plus haut, un peu plus loin.

Je me suis vite sentie fatiguée, mais j'avais localisé un relais et je ne voulais pas m'arrêter avant de l'avoir atteint. Le soleil tapait fort sur mes joues, j'aimais cette chaleur froide, je m'imaginais être une femme de la montagne, une femme qui ne vivait que pour ça, la montagne. Qui l'escaladait tous les jours, sans penser à toi.

Je rêvais d'être une femme qui ne pense pas à toi. Je me disais personne ne sait que je suis ici, dans cette montagne, dans ce manteau fuchsia, personne ne pense à moi, personne ne veut de moi, je suis libre, libre, libre, seule, seule, seule.

Tu vois, les idées noires se mêlaient aux idées heureuses, et ça faisait tout un tapage dans ma tête.

La pente était de plus en plus abrupte, il me fallait un bâton de marche. J'ai fouillé dans le sous-bois, mais il n'y avait que des brindilles, rien d'assez long et solide pour supporter mon pas.

J'ai atteint le relais, un abri de bois qui avait l'air d'avoir mille ans, je me suis laissée tomber sur le vieux banc qui le traversait. Et là, contre le mur, tu ne me croiras pas, mais je te jure que c'est vrai, un bâton de marche m'attendait. Il avait été sculpté à la main dans une branche solide. Il avait été verni plusieurs fois. On aurait dit qu'il n'avait jamais été utilisé. Au début, j'ai hésité à le prendre. J'ai lorgné de son côté en mangeant ma pomme. J'ai grignoté quelques noix, j'ai bu un peu d'eau. J'ai regardé autour de moi. Je me suis décidée à l'emprunter, un peu timidement tout de même… J'ai dit merci à voix haute et j'ai continué ma route dans la montagne, avec l'impression que si j'arrivais à aller au bout de ce chemin, je serais vraiment, définitivement libre.

Je ne suis pas allée bien loin, tu t'en doutes, je ne suis pas très en forme, en tout cas pas autant que les gens qui traversent des montagnes à la marche, et puis de toute façon ces chemins-là, ils n'ont pas vraiment de fin.

Je suis quand même allée aussi haut que j'ai pu, j'avais une vue incroyable sur tout le village, et bien au-delà du village. Je me suis assise sur la terrasse d'une jolie maison qui semblait inhabitée. Les volets en bois et le toit en dentelle lui donnaient l'air de sortir d'un conte.

J'ai mangé mon sandwich. Puis, à contrecœur, j'ai amorcé la descente.

Devant le relais, j'ai pensé que je devais remettre le bâton de marche à sa place, mais je n'en ai pas eu le courage. Au bas de la montagne, un panneau indique les directions et les distances. C'est là que je l'ai laissé.

Le vent se levait, j'avais froid, il était temps que j'arrive.

Le lendemain, j'ai quitté Lauterbrunnen. J'ai pensé qu'il fallait absolument que je me rende à Vevey. Ce nom ne me quittait pas. Vevey. En plus, sur internet, j'avais vu qu'il y avait là une grande auberge de jeunesse avec vue sur le lac Léman.

Il restait une chambre individuelle. J'ai mis ma carte de crédit sur le comptoir en disant je prends toute la semaine. La vue donnait sur la cour arrière. Le bâtiment en face était en rénovation. Les scies faisaient, toute la journée, un vacarme d'enfer.

J'ai vidé bière après bière, dans mon lit, la nuit, en cherchant des rimes. J'ai passé la plupart de mes journées à marcher autour du lac, à dormir, et à essayer d'écrire des chansons et de la musique. Que des vrais blues, avec des femmes qui s'en vont et des hommes qui pleurent. Ça me faisait du bien d'écrire ça. Jamais de ma vie je n'avais écrit autant de chansons en si peu de temps. Elles n'étaient pas toutes bonnes, mais elles étaient toutes nécessaires.

Il n'y a aucun doute que le travail m'a sauvé la vie. Sans cette musique chargée qui me venait par vagues effrénées et violentes, je me serais jetée sur la voie ferrée.

Dans le train, la veille de mon retour à Montréal, un Nègre lumineux et jovial m'a fait un clin d'œil. Je lui ai souri. Je n'avais parlé à personne depuis trois semaines. Je voulais bien, oui, qu'il s'assoie près de moi. Je voulais bien, oui, qu'il me prenne la cuisse, la main, qu'il m'embrasse. J'ai posé la tête sur son épaule et je me suis endormie tout de suite, complètement abandonnée à cette chaleur délicieuse. La chaleur parfumée du mâle en rut.

Son sexe gigantesque était dur dans son pantalon. J'en avais très envie. Il est descendu avec moi à Genève. Nous avons pris un café. Nous nous sommes embrassés sans retenue à chaque pas. Je dévorais ses lèvres tendres en fermant les yeux. Il disait qu'il travaillait à je ne sais plus quelle ambassade, il m'a même donné sa carte professionnelle. Son titre n'était pas clair. Je ne savais pas trop quoi en penser. Je lui ai confié mes bagages pendant que j'allais aux toilettes. Il m'a attendue sans bouger, toujours bandé, prêt à me suivre à l'hôtel.

J'ai décidé de ne pas l'inviter. Il m'a serrée dans ses bras et m'a finalement laissée partir en disant que j'étais la femme de sa vie, qu'on se reverrait un jour. J'ai pensé au bâton de marche trouvé dans le relais, au cœur des Alpes. C'est comme ça que s'est passé ce voyage. De relais en relais, j'ai survécu.

À mon retour de la Suisse, je ne pouvais plus entendre ton nom, voir ton visage. J'évitais d'ouvrir les journaux, les magazines. Je n'allais plus nulle part, j'avais toujours peur de te croiser. Je traversais Montréal avec des verres fumés.

J'ai décidé de faire bouger les choses. Je me suis mise à la batterie. Guilmy était d'accord pour me prêter la sienne, j'allais jouer chez lui. Il me donnait des leçons quand il avait le temps.

Les chansons que j'avais écrites en Suisse, je les ai confiées à Stéphane, vu qu'il connaît tout le monde et que ça pouvait intéresser quelqu'un, un chanteur, un musicien, un agent. Il a dit bien sûr, je regarde ça de près.

Je voulais de l'argent, de la gloire et du sexe. Je marchais vers chez moi le soir, je marchais vers le studio le matin en me répétant je veux de l'argent, de la gloire et du sexe. Ce leitmotiv qui ne me ressemblait pas me permettait de vivre très loin de moi.

J'étais convaincue que si une star daignait chanter au moins une de mes chansons, ce serait le début de ma propre gloire.

Nous étions tous dans le studio, combien, je ne sais plus. Il y avait là-dedans une ambiance que nous ne voulions pas quitter. Les musiciens étaient électriques, la chanteuse sautillait à gauche, à droite, elle distribuait des bonbons et des bisous. Nous enregistrions un disque de Noël pour les enfants en plein mois de juillet. Et la fée des étoiles se cherchait un lutin.

Stéphane entre en souriant et dit Fanny Murray j'ai une surprise pour toi.

Une surprise pour moi avec mon nom au début de la phrase. Je n'aime pas ça du tout.

Il monte le volume au max. Les premières notes surgissent. C'est du piano. Des touches de lumière dans une mélodie assez mélancolique. Soudain des oooohhhh, ooooohhh… C'est ta voix.

Stéphane trépigne, il me regarde du coin de l'œil. Il me fait signe. Attends, le meilleur est à venir.

You can go away, baby
I'll survive

C'est ta voix et ta musique sur un texte que j'ai écrit en Suisse au milieu de la nuit, la morve au nez, la bière à la main. Tu continues.

Look at me
I'm alive
All is possible
Chase away the sorrow
Go away, baby
And don't look back
I don't sing the blues
I don't play the blues
I don't invent the blues
I'm the blues
I'm the blues
All the blues you listen to, baby
It's me
Baby
It's me
Baby
Chase away this trouble
Go away, baby
And don't look at me

Stéphane est content. Il a trouvé quelqu'un pour interpréter mes chansons.

Le producteur a insisté pour que ce soit la première chanson de ton album. Stéphane a insisté pour que je fasse les arrangements. J'ai refusé d'ajouter des instruments. Je voulais que ce soit nu, cette pièce, à même la peau, à même la chair. Tu as dit que tu étais d'accord avec moi, alors du coup tout le monde a été d'accord. Tu as donné le titre de ma chanson à ton album. *You can go away, baby*. New York t'attendait pour le lancement. Tu as exigé que je sois à la séance de photo pour la conception de la pochette. J'ai proposé qu'on te prenne de dos. Ta dégaine sur le boulevard René-Lévesque la nuit, dans une chemise en satin rouge, tu avais l'air de t'en aller pour toujours. Il y aurait aussi un lancement à Chicago. Philadelphie s'est ajouté. Dans les journaux, on annonçait tes concerts à Montréal dans six mois. *You can go away, baby* était sur toutes les lèvres. On a aussi décidé de graver un récapitulatif de ta carrière, tes plus grands succès, soixante chansons sur quatre CD dans une pochette de luxe, avec à la fin *You can go away, baby*. Il y aurait une tournée de promo pour ça aussi.

Stéphane s'informe tous les jours. Il veut savoir si j'écris, si je lui apporterai des chansons pour toi.

Tu lui as murmuré à l'oreille que la jeune Fanny Murray a du talent et que tu souhaites voir tous ses textes.

Il est content, Stéphane, il pense qu'il est un intermédiaire nécessaire entre toi et moi.

Ici, au monastère, j'ai tout mon temps pour ça, écrire des chansons. Je cherche des rimes cruelles sous le regard torturé de Jésus.

Je ne sais plus si tu me manques ou si tout ce qui me manque, ou m'a manqué, a simplement pris ta forme, ta couleur, ton visage.

Mille fois par jour je me tourne vers Jésus sur sa croix.

Jésus, pourquoi est-ce que Bobo disparaît. Pourquoi est-ce que Bobo m'oublie. Pourquoi cette grosse cicatrice dégueulasse sur mon ventre. Est-ce que je vais avoir des enfants. Est-ce que je vais arriver à oublier Bobo. Est-ce qu'il y a un homme sur cette terre que je vais aimer vraiment et qui va me faire oublier Bobo à force de me serrer dans ses bras. Mon destin est-il triste. Mon destin est-il tragique.

L'impassible Jésus ne daigne pas me répondre.

Nous nous croisons par hasard devant Archambault, rue Sainte-Catherine. Je te vois la première. Je hurle ton nom sur le trottoir. Tu t'arrêtes, te retournes vers moi.

Je fouille dans ton sac. Tu as acheté toutes les nouveautés. Comment vas-tu. Raconte-moi ce qui t'arrive. Oui, mais pas ici.

Nous arrêtons un taxi. Le chauffeur te fait la conversation. Il veut un autographe, il est heureux que tu sois haïtien comme lui, tu as beau lui répéter que tu es africain, il n'entend rien, il est convaincu que tu es haïtien. Tu capitules, tant pis, aujourd'hui tu es haïtien. Tu t'en fous, tu me tiens la main, tu caresses ma cuisse, tu me chuchotes des secrets à l'oreille.

Nous rentrons chez moi. Tu as un peu faim. Je sors ce que je trouve dans le frigo. Une pomme. Un bout de fromage. Une bière. Tu regardes l'heure, tu dois repartir dans vingt minutes. Tu me pousses dans la chambre. Les vêtements volent. Je me glisse entre les draps roses avant toi. Tu es toujours étonné de la rapidité avec laquelle je m'habille et me déshabille. Tu dis que j'ai le sens de l'urgence. Tu n'as pas compris que je cache mon ventre.

Dans les fleurs roses japonaises, ta bouche sur ma bouche.

Tu repars en courant. Je te suis dans le corridor, le drap autour de moi, trop grand, le drap, il glisse sur le plancher derrière moi, ramasse la poussière et les poils du chat.

Tu te baladais à Montréal, tu achetais des disques à trois rues du studio, à dix rues de chez moi. Depuis combien de temps étais-tu là, ça, je ne le saurais jamais, je n'avais pas posé de questions, je n'en posais jamais, devant toi je faisais comme toi, je prenais ton rythme, je faisais celle qui prend ce qui passe, qui ne court après rien, qui ne court après personne, ça te réussissait si bien, j'ai pensé qu'à la longue, à force de faire semblant, un jour ce serait simple et naturel pour moi aussi. Je pensais que je pouvais, moi aussi, être libre et légère comme le vent. Des fois, pendant quelques secondes, j'ai dû toucher à un état qui ressemble à ça. Mais moi, tu sais, ma vraie nature, c'est l'attente. J'attends comme je respire, regarder l'horizon pendant des années et espérer un mouvement, je suis assez patiente pour ça.

Quand j'étais adolescente, tu as raconté dans une émission conçue pour faire pleurer les gens qu'en arrivant au Québec tu avais eu faim et froid. Tu t'entêtais à vouloir faire de la musique. Personne ne te connaissait, tu ne connaissais personne. Tu as galéré pendant des années, puis on t'a pris dans un groupe. Mais le chanteur t'a congédié.

Tu ne l'as pas dit à la télé, tu es trop élégant pour ça, mais moi, je sais pourquoi il n'a plus voulu de toi, le chanteur, et je l'ai su au moment même où tu ne l'as pas dit à la télévision. Tu étais trop bon. Tu montais sur scène, et les gens ne voyaient que toi, ne voulaient que toi. Tu aurais été là pour balayer la scène qu'on aurait voulu chasser le chanteur pour te voir balayer.

Ce jeune homme pauvre que tu as été, qui a voulu la gloire et le succès, il entre chez moi avec toi. Il marche au-devant de toi. Il porte un t-shirt décoloré, un peu décousu à l'épaule. Des jeans un peu trop grand, pas au goût du jour, retenu par une ceinture usée. Des chaussures qui ont vu plusieurs saisons. Pas de sac. Pas de téléphone.

La bosse dans la poche arrière de ses jeans, c'est son portefeuille. Dans ce portefeuille, il y a de gros billets tout neufs.

La première fois que je t'ai vu *live*, en spectacle, j'avais vingt ans. On ne parlait que de toi à Montréal, il y avait des photos de toi partout. Tu avais joué dans un film québécois, dans une comédie musicale à Broadway, tu avais produit un documentaire sur les orphelins dans ton pays.

Tu engageais pour t'accompagner sur scène de jeunes talents, généralement de jolies filles, et on t'invitait dans tous les festivals de jazz et de blues à travers le monde. Tu te baladais déjà entre Chicago, Barcelone, New Orleans, Toulouse, Memphis, New York et Paris. Je le savais parce que je lisais tout sur toi dans les journaux.

Je venais juste d'arriver en ville pour la rentrée universitaire, une amie m'a invitée à ton show, au Club Soda.

Quand tu es monté sur scène, tu t'es tout de suite installé au piano. Tu as chanté une pièce que tu venais juste de composer. Tu as dit, de ta voix la plus grave et la plus sexy, c'est un cadeau pour vous, j'aime les risques, je me lance, je sens que je dois vous chanter ça, un blues en français… pour un Québec francophone.

La foule était en délire.

Mon amour, je te trouverai
Sur ma route, je te trouverai
Je sais que tu es devant moi
Et je serai ton homme
Tu ne peux rien contre ça
Je serai ton homme
Je serai tout, tout, tout à toi
Et tu ne peux rien, rien, rien contre ça
Lalalalalala, hou hou…

Une fois, un jour d'été caniculaire, tu l'as chantée à mon piano. Je me suis assise derrière toi, sur mon canapé noir.

Mon amour, je te trouverai
Sur ma route, je te trouverai
Je sais que tu es devant moi
Et je serai ton homme
Tu ne peux rien contre ça

Tes fesses nues sur le banc de bois. Tes épaules souples, ton dos tendu, j'étais toute à ce spectacle béni. Mais je n'ai pas pleuré parce que l'important, le plus important de tout ce qui est important entre toi et moi, c'est que je ne pleure pas.

Tu peux bien disparaître, voyager, ne plus m'écrire, ne plus venir me voir, ne plus m'aimer, ne plus penser à moi. Tant que tu es vivant, quelque part sur terre, avec ta guitare, ton piano, ton blues, ton public, je me dis que tant que tu es vivant, je peux me glisser n'importe quand sur ton chemin, dans la foule, dans les coulisses, dans les loges, dans les hôtels, dans les aéroports. Tant que tu es vivant, je peux partir à ta poursuite, te mettre la main au collet, te pousser dans les toilettes, t'embrasser de force, déchirer ta chemise, mettre mon visage sur ta poitrine, te sentir un peu. Tant que tu es vivant, je n'ai aucune raison de désespérer.

DEUXIÈME CAHIER

Montréal

Au monastère, au bout de treize journées d'isolement, de marche, de silence, d'écriture, de tranquillité, de musique, j'ai reconnu, avoué, accepté, compris que je ne pouvais pas continuer comme ça. Je ne chercherais plus ta présence. Tu me tirais vers le bas, et la descente allait me tuer si je permettais que ça arrive encore.

Vraiment, le monastère m'avait fait un bien fou, c'était le rituel nécessaire pour entamer un vrai processus de guérison, appelons ça comme ça, c'est comme ça qu'ils disent dans les manuels de psycho.

Je suis revenue chez moi forte, forte comme un taureau. Sur la route, je chantais à tue-tête, j'ai même pris un chemin de campagne, acheté des légumes dans une ferme, mangé une crème glacée dans une cantine. J'ai fait les beaux yeux à un Français qui vendait des fraises dans un kiosque tout rouge. Vraiment, j'étais à mon meilleur, j'étais flambant neuve, je sortais d'un marasme intérieur comme miraculée, avec des guirlandes et des ballons plein la tête.

En rentrant chez moi, j'ai déposé ma valise, j'ai allumé mon ordinateur et, avant même de saluer le chat, de relever le courrier, j'avais rechuté. En trois phrases que je n'avais pas préméditées, je t'ai proposé de partir en vacances avec moi.

Non seulement je n'avais pas avancé, mais je m'étais enfoncée, j'avais sombré définitivement, je m'étais joué la comédie. La folie frappait à la porte. Il y avait deux moi en moi, une n'en démordait pas de te vouloir, l'autre faisait des simagrées pour le cacher.

Tu as dit oui. Moins de vingt-quatre heures plus tard, j'avais ton oui officiel. Nous ne nous étions pas parlé ni écrit depuis des mois, et tu disais oui, tu voulais partir en vacances avec moi. Tu voulais donc me voir. Je te manquais peut-être.

Cette nuit-là, je suis partie à l'hôpital en ambulance, vomissant par jets puissants un liquide verdâtre. J'avais le corps coupé en deux par la douleur. On m'a injecté de la morphine après des heures de souffrance atroce passées dans un couloir bondé. On m'a opérée le jour même. Je me suis réveillée de l'opération complètement euphorique. L'anesthésie m'avait droguée. Je voyais la vie en rose. J'avais deux nouvelles cicatrices au bas-ventre, minuscules cicatrices qui cohabitaient avec la grande.

Je suis revenue chez moi faible comme un oisillon. Mes amis sont venus me voir chacun leur tour et m'ont apporté à manger. Je dormais toute la journée.

Doucement, l'euphorie a cédé la place à la mélancolie. Un après-midi, j'ai rêvé de toi. Tu surgissais de sous mon lit avec une fleur blanche à la main.

J'ignore ce que tu as inventé pour échapper à ta famille, à tes engagements, à tes rendez-vous, ce que tu as imaginé comme mensonge. Je ne sais pas comment une chose pareille est devenue possible soudainement. Réussir à sortir un homme comme toi de sa vie pendant quelques jours, ça tenait du miracle. Je n'y croyais pas, je n'y ai pas cru tant que tu n'as pas été dans la voiture, ta valise dans le coffre. Tu souriais tellement, tu ne savais plus t'arrêter de sourire, tu as mis tes verres fumés, tu as passé ton bras autour de mes épaules, emmène-moi où tu veux, *baby*.

Nous avons pris la direction des États-Unis. J'ai pensé que dans la profonde campagne américaine, tu passerais inaperçu.

Nous mangions des hot-dogs dans la voiture, nous buvions des cafés de stations-service, je m'empiffrais de chocolat, tu disais *baby*, tu exagères. Le premier après-midi, notre première chambre de motel de bord de route, nous l'avons louée de bonne heure.

Dis que je suis l'homme de ta vie, *baby*, dis-le, dis que je suis l'homme de ta vie.

J'étais au bord de la jouissance, ton membre m'emplissait d'une béatitude sans commencement ni fin. J'étais toute à mon plaisir, je ne voulais pas en sortir.

Tu as insisté. Dis que je suis l'homme de ta vie. Dis que tu es à moi *baby*, juste à moi, *baby*. Dis-le, dis-le, dis-le.

Un sanglot d'une envergure sans précédent a monté en moi. J'ai cessé de respirer pour le contenir. Si j'avais ouvert la porte à ce sanglot, tu aurais été emporté par une vague dont tu n'as aucune idée de la violence. Pendant quelques secondes, nous nous sommes figés dans l'espace, toi espérant que je le dirais, moi essayant de toutes mes forces, obscures forces, de ne pas me jeter sur toi pour te frapper, te frapper jusqu'à ce que tu me demandes pardon, pardon *baby*...

Puis l'amour a recommencé, en silence.

Le deuxième soir, nous en avions déjà assez de manger du fast-food, nous avons trouvé un restaurant dans une petite ville bourgeoise. Nous nous approchions dangereusement de Boston.

Nous étions hilares, tout nous faisait rire, le mauvais service, mon faux accent british, tes imitations d'Elvis. Puis le whisky et le vin nous ont lentement enveloppés dans une ambiance étonnante, et je t'ai raconté l'histoire de mon ventre.

Tes yeux n'ont pas bougé de moi tout le temps que je t'ai raconté l'accident, l'opération, et la terreur que j'ai de me dénuder devant toi.

Tu as décidé que dorénavant, nous ferions l'amour la lumière allumée. J'allais goûter à ta médecine.

À l'hôtel, dans ton dos, pendant que tu te brossais les dents, j'ai dévissé les ampoules des lampes de chevet.

Nous pique-niquions à une halte routière. J'avais trouvé des salades pas trop mauvaises dans un gigantesque supermarché. Tu n'as pas le courage d'entrer dans ces endroits-là. Tu m'avais attendue dans la voiture en écoutant le Buena Vista Social Club. On ne s'en lasse pas, toi et moi, du Buena Vista Social Club.

Sous le soleil américain, les fesses dans l'herbe, tu m'as demandé pourquoi je n'écrivais pas d'autres chansons pour toi.

Je rêve de partir avec toi en tournée à travers le monde, ma guitare sous le bras. Écrire des chansons qui partent avec toi sans moi, ce n'est pas mon métier.

Ça, c'est la réponse que je voulais te donner, mais j'ai eu l'intuition que c'était celle que je ne devais pas te donner.

J'ai plutôt dit ce n'est pas quelque chose qui me vient facilement.

C'est ce que je t'ai dit, la bouche pleine de salade de macaroni. L'inspiration, ce n'est pas quelque chose qui me vient facilement.

Nous n'aurions pas dû nous aventurer jusqu'à Boston. Une fois là-bas, la tentation d'aller traîner dans un *blues club* a été très forte. Nous nous sommes vite retrouvés en bonne compagnie. Tout le monde te connaissait. De whisky en whisky, nous étions de plus en plus ivres. Une chanteuse – j'ai oublié son nom, tu m'excuseras – avait l'air de te connaître très bien. En sortant de scène, elle est venue directement vers toi, a mis sa main sur ta cuisse sans hésiter, t'a longuement embrassé le lobe, murmurant un secret à ton oreille attentive. Je suis sortie du club et j'ai demandé une cigarette à un grand Noir enjoué, le batteur, il prenait l'air. Moi qui n'ai jamais fumé de ma vie, j'ai fait ça comme une experte, je me suis allumée à sa cigarette. J'étais tout près de lui, j'ai tiré sur le pan de sa chemise, je lui ai dit *you are so, so sexy.* Il a ri, il m'a dit toi aussi poupée, il l'a dit en français, avec un accent délicieux.

Tu n'as pas tardé à sortir à ton tour, je savais que tu me suivrais de près. Tu m'as prise par la main, m'as fait monter dans un taxi.

Je t'ai demandé, en évitant de te regarder, combien de maîtresses tu avais dans le monde. Je n'ai pas aimé m'entendre demander ça. J'ai eu l'impression de vomir.

Baby, nous passons un si merveilleux moment ensemble, ne gâche pas ça, mais c'est sûr, tu n'es pas la seule, tu le sais bien.

Je ne t'ai pas cru. J'étais convaincue d'être la seule. Tu disais ça juste pour garder ta liberté, pour que je ne t'aime pas davantage – je t'aimais déjà bien assez –, pour que je n'aille pas imaginer des choses qui m'auraient fait souffrir encore plus. Tu ne voulais pas que je sache que tu m'aimais assez pour ne faire l'amour qu'avec moi.

Voilà, la folie m'avait définitivement prise d'assaut, j'étais irrécupérable.

L'automne, sur la route, dans la campagne américaine, se déployait par petits bouquets mordorés.

Je faisais l'effort, le titanesque effort, de ne pas penser aux femmes qui mettent leurs mains sur tes cuisses tout le temps pour essayer de t'attirer dans leur intimité.

Tu étais tendre comme un gâteau, avec moi. Tu me racontais des histoires de tournées, tes plus beaux voyages. La fois où tu avais eu peur, la seule fois de ta vie. La fois où tu avais perdu la voix devant des milliers de personnes. La fois où Nelson Mandela était venu t'écouter. Tu me racontais ta vie en parsemant ton récit de refrains et de fredonnements. Ta voix chaude et musicale.

Le voyage tirait à sa fin. Je me répétais, en mon for intérieur, mais tout de même assez fort pour que tu m'entendes, toutes les journées sans toi sont des journées perdues.

Tu t'es soudainement tourné vers moi en t'écriant la vie est longue, *baby* !

Je t'ai laissé à quelques rues de chez toi. Nous ne nous sommes pas embrassés une dernière fois.

Quatre jours plus tard, tu m'as téléphoné. Tu voulais à tout prix venir me voir tout de suite. Tu as dit j'arrive, *baby*.

J'étais affolée. Je n'avais pas l'habitude que tu t'invites, que tu arrives sans me prévenir au moins un jour à l'avance. J'ai remonté mes cheveux, mis du mascara, inventé un plat avec des œufs et des légumes.

Tu es entré sans frapper, tu n'es pas venu à la cuisine, tu as plutôt foncé vers le salon. Tu as mis la guitare entre mes mains, tu t'es assis au piano. Tu as d'abord chanté a cappella, les yeux fermés, comme replié sur toi-même. Puis les accords, puis la mélodie, puis la dérive des continents. Tu m'as fait un signe. J'ai embarqué comme j'ai pu. J'ai repris le refrain avec toi, puis j'ai compris où tu t'en allais avec cette chanson. J'ai ajouté des lalalalalala ici et là, mais discrets, juste pour faire de la dentelle autour de la douleur qui traînait dans ta voix. Nous avons repris la chanson deux fois, trois fois, mille fois, je ne sais plus. J'étais de plus en plus concentrée, de plus en plus investie dans le déploiement de cette pièce, tout vibrait autour de nous.

Tu t'es arrêté net.

Tu m'as arraché la guitare, m'as poussée dans la chambre. J'ai descendu la toile, tiré les couvertures. Nous nous sommes déshabillés aussi vite que possible, et tu m'as prise en me dévorant la bouche, les yeux, les joues, le cou. On aurait dit que tu avais été gagné par la panique. De quoi avais-tu peur ? Pourquoi ?

Sur le seuil de la porte tu as dit tu es magique, l'après-midi, *baby*, et je t'aime.

Tu es parti, les mains dans les poches, sans te retourner.

Tout ça ne me disait rien de bon.

Nous ne nous sommes plus revus.

C'est sûr, tu m'as écrit un peu après l'épisode de la chanson improvisée. Tu as même pris un rythme, pendant quelques semaines tu m'as écrit tous les trois-quatre jours.

Je voyais dans les médias que ta carrière prenait un tournant spectaculaire. Tu recevais des honneurs et des prix. On te voulait, maintenant plus que jamais, aux quatre coins de la terre. Guilmy m'a raconté que tu étais en voyage en Asie.

Tes courriels se sont soudainement espacés.

Le 24 décembre, c'était la course contre la montre, les cadeaux à emballer, la salle de bains à nettoyer, la cuisine avait l'air d'un chantier, j'attendais du monde pour le réveillon. Ton courriel est arrivé, un cadeau sans prix, un cadeau précieux sous la neige, dans l'effervescence de cette journée. Tu n'écrivais pas joyeux Noël, c'était plutôt un courriel coloré, du genre je te mangerais la chatte sous le sapin si je pouvais. Je suis sortie de la maison une troisième fois, j'ai acheté du champagne et du poisson. Il manquait un céviché à ce réveillon. J'ai fait des biscuits, aussi. Ce n'était pas nécessaire, il y avait déjà une bûche et des crèmes brûlées.

Je t'ai répondu vers la fin de la journée, avant l'arrivée de mes invités.

Je m'en souviendrai jusqu'à ma mort, c'est à ce moment que tu as disparu derrière un silence terrifiant. Je t'ai encore écrit au tournant de l'année, tu n'as pas répondu.

Au cœur de ce mois de janvier impitoyable, j'ai sombré. Les jours froids de janvier, un froid terrible qui grugeait ma volonté. Je m'endormais en grelottant, gelée jusqu'à la moelle, même après une douche chaude, même sous des couvertures de laine du pays. Je rêvais à toi tout le temps. Tu disparaissais pendant qu'on m'attaquait. Tu me tournais le dos pendant que je me noyais. Tu te défilais pendant que je t'appelais à l'aide. J'ai manqué plusieurs jours de travail au studio. Je prétextais une gastro une grippe une pneumonie. Je restais à la maison, je ne m'habillais pas, je mangeais à peine, je jouais de la guitare. Je n'arrivais pas à chanter. Les paroles de n'importe quelle chanson de n'importe quel style de n'importe quelle langue restaient coincées dans ma gorge. Je me contentais de jouer de la guitare, c'était bien assez, assise en tailleur sur mon lit rose, dans ma chambre rose, j'avais besoin de tout ce rose, j'aurais mangé du rose si ç'avait été possible, je buvais du vin rouge, du porto, des gin-tonic et surtout du whisky.

Ma mère sentait que quelque chose n'allait pas, elle s'est mise à me téléphoner tous les jours. Nous ne sommes pas particulièrement proches, elle et moi, mais une fois, touchée par son inquiétude, j'ai fini par lui raconter un peu ce qui m'arrivait.

J'aime un homme depuis longtemps. Il est marié. Il est célèbre. Je souffre tellement maman on dirait que je vais mourir.

Ma mère, terrestre comme tu ne peux pas t'imaginer, était hors d'elle. À l'autre bout du fil, depuis sa Gaspésie croulant sous les tempêtes de neige, elle s'est écriée ça suffit, tu ne vas pas mourir pour un homme, non mais c'est quoi ces niaiseries-là, ressaisis-toi, Fanny, la mère des hommes n'est pas morte, non mais là tu me fais honte, Fanny Murray, ma fille, ma musicienne de fille, si j'étais là tu aurais une bonne fessée. T'as de la chance que je sois loin. Ce soir, tu sors danser. Tu m'entends ? Habille-toi et sors de la maison.

Je me suis habillée. Je suis sortie en ville. Je grelottais sur le trottoir, je glissais aux coins des rues sur la glace vive. J'ai arrêté un taxi. La Taverna, s'il vous plaît.

À la Taverna, l'ambiance était à la fête, j'ai dansé comme une damnée. J'avais enfin chaud.

J'ai embrassé un Marocain qui m'avait repérée de loin. Il était architecte, portait un joli foulard sous sa barbe poivre et sel. J'ai pris son numéro. Je ne l'ai jamais appelé.

Guilmy ne me parlait pas souvent de toi, je le soupçonnais d'être beaucoup plus au courant que moi de tes allées et venues. Quand on a célébré ses quarante ans, il m'a prévenue que tu serais là. J'ai apprécié cette délicatesse. Je ne voulais pas te voir, mais je ne pouvais pas rater l'anniversaire de Guilmy.

J'avais mis le paquet. Robe seyante, bijoux et talons hauts. Même du rouge à lèvres, bien rouge, le rouge à lèvres. Quand on est blanche comme le lait et qu'on met les pieds dans une communauté d'artistes noirs, on a intérêt à sortir sa palette de couleurs et de formes. Autrement, le sex-appeal s'effondre en cinq secondes, et on finit la soirée seule au bar avec un verre d'eau.

Je suis arrivée avant toi, mais tu m'as suivie de près. Tu étais seul, j'avais pensé que ton épouse serait là. Je t'ai salué comme si je te connaissais à peine, et je me suis élancée dans les bras de l'homme qui était derrière toi. C'était Félix, un jeune qui travaille au studio. Il était étonné. Je lui ai murmuré à l'oreille de ne pas s'en faire, que je me servais de lui pour rendre un homme jaloux. Il a trouvé ça très amusant. Il s'est mis à m'apporter des verres, à dire à voix haute que j'étais formidable en me prenant par la taille. D'autres amis sont arrivés, ils ont eu droit à un traitement royal. Bises, accolades, secrets. J'ai posé ma tête sur l'épaule de Robert, j'ai pris la main de Gilles. Tu me surveillais du coin de l'œil. Tu t'approchais pour me parler. Je n'interrompais pas ma conversation. Je ne te regardais pas. Tu faisais demi-tour, puis tu revenais. Je donnais encore une bise. Encore une accolade. J'ai fouillé dans les poches de Julien. J'ai passé ma main dans les cheveux de Marco. Personne ne s'étonnait, vu que Félix avait prévenu tout le monde que je donnais un show et qu'il fallait participer. À la fin de la soirée, mon manteau sur le dos, je t'ai demandé si tu souhaitais me dire quelque chose en particulier.

Tu as dit je t'aime, *baby*.

J'ai marché jusqu'à la maison. Février ne me faisait pas peur.

Encore aujourd'hui, il y avait une photo de toi dans la presse. Une médaille ici, un prix là, une cérémonie pour ceci, un show hommage pour cela. Une fois que tu auras reçu tous les prix et les hommages que l'on décerne à travers le monde aux hommes comme toi, quand tu auras les bras pleins et la certitude que tu es indélogeable, le meilleur, le plus grand, j'imagine que tu t'assoiras au soleil, tranquille, peut-être que tu penseras à moi, je crois que tu m'as assez fait l'amour pour avoir, de temps en temps, le reste de ta vie, une pensée pour moi.

Quand j'ai vu ta photo ce matin, je me suis levée d'un bond, j'ai jeté le journal, j'ai ouvert mon placard et j'en ai sorti tous les vêtements que j'ai portés dans les dernières années, une incroyable quantité de vêtements noirs. Mais il y avait aussi du blanc, des fleurs, des rayures. J'ai mis tout ça dans des sacs, ça faisait beaucoup de sacs, je les ai apportés à l'Armée du Salut. Je suis partie à pied, une longue marche, je suis allée directement sur Mont-Royal, dans une boutique que j'aime bien, acheter une robe lilas avec des motifs hallucinants. Il ne me reste plus que cette robe dans mon placard.

Demain, c'est mon anniversaire. Cette année, forcément, je remarquerai que tu as encore oublié. Mais l'an prochain, déjà, ça ne me traversera même pas l'esprit. Et ainsi de suite. Les images précieuses de notre intimité pâliront doucement dans mon souvenir, et bientôt elles auront complètement disparu. Je me permettrai d'en garder quelques-unes, mais seulement quelques-unes.

Je garderai celle de Memphis, quand tu as ouvert les bras en t'écriant, au milieu de la nuit noire, viens dans mes bras *baby* où étais-tu où étais-tu je t'avais perdue.

J'étais juste allée aux toilettes.

Je garderai aussi cette image de nous en voiture, en route vers Boston. Je conduisais. Tu étais ivre de sommeil, tu luttais corps et âme pour ne pas t'endormir. Je te répétais de te laisser aller à ce sommeil. Dors, dors mon amour, je vais écouter de la musique. Mais non, il n'en était pas question, tu ne voulais pas dormir parce que tu ne voulais pas te retirer de moi. Tu as dit ça. Je ne veux pas me retirer de toi. Tu pouvais facilement passer des semaines sans m'écrire bonjour, mais tu refusais de dormir à côté de moi dans la voiture parce que tu ne voulais pas perdre une seconde de ma présence. Avec toi, on n'était pas à un paradoxe près.

Une autre fois, tu vas à la salle de bains. J'entends la toilette. Le robinet. Le froissement de tes vêtements. Tu les enfiles dans le couloir. Le claquement de tes bottes sur le plancher de bois. La fermeture éclair de ton manteau. Je pense tu t'en vas tu t'en vas tu t'en vas. Mais non. Tu ne bouges plus. Je devine ta main sur la poignée. Tu réfléchis. J'arrête de respirer. Que vas-tu faire ? Soudain, ta voix puissante résonne dans la maison.

Je ne pars pas, *baby*. Tu penses que je m'en vais, mais je ne pars pas.

La porte grince deux fois. En s'ouvrant et en se refermant sur ton pas pressé.

L'image la plus précieuse, parmi toutes les images précieuses, c'est New Orleans, le trottoir de la rue Dauphine, ton pull violet. Sur la pointe des pieds, je pose mes lèvres sur les tiennes. Tu ne bouges pas, tu ne bouges pas, tu ne vas pas me serrer contre toi. Je monte dans le taxi. Tu descends du trottoir. Tu me regardes m'éloigner. M'en aller. Dans ton pull violet, tu es un peu triste, tu n'as pas envie que je parte. Tu ne bouges pas de moi. Je ne me retourne pas, mais je sens ton regard sur ma nuque.

Je n'ai jamais vu une femme se transformer comme ça en parlant d'un homme. Tu deviens comme une petite fleur fragile.

L'autre soir, mon amie Charlotte, assise sur mon balcon, m'a lancé cette phrase. Elle me souriait gentiment, on aurait dit avec une sorte de pitié. Elle compatissait, dans la lueur rouge de la dizaine de bougies que j'avais allumées pour chasser les moustiques, elle était compatissante.

Le médecin dit que je ne pourrai jamais avoir d'enfant. Les conséquences de l'accident et de l'opération. Voilà un projet, avoir des enfants, que je croyais possible et qui devient impossible.

Ce sera difficile d'annoncer ça à ma mère et à mon père.

TROISIÈME CAHIER

Rivière-au-Renard

Après tout ce temps, ce matin, j'ai reçu un courriel de toi, un courriel qui a l'air de ne pas tenir compte de l'eau qui a coulé sous les ponts.

Baby, je suis à l'aéroport de New York, je rêve de t'embrasser à New York, comment se fait-il que je ne t'aie jamais embrassée à New York ? Je continue ma route. Le festival de blues à Chicago.

Ici, dans la cour de mes parents, la vue sur le fleuve gris-bleu me bouleverse. J'avais oublié que j'avais grandi en présence de cette force tranquille. Les navires remontent péniblement le courant qui l'anime.

Quand j'étais petite, mon père a travaillé pendant des années sur les chantiers du Nord. Nous allions le conduire à Matane. Il montait sur le traversier, nous envoyait la main. Quelques semaines plus tard, nous allions le chercher, il revenait à la maison pour quelques jours, et c'était la fête. Ma mère préparait un souper spécial.

Je m'asseyais à côté de lui. Je touchais son bras en mangeant. Avant que j'aille dormir, il peignait mes cheveux, il adorait peigner mes cheveux, il me faisait une tresse, il me disait bonne nuit, ma fille.

J'avais du mal à m'endormir. J'avais envie de l'appeler. Papa, papa, papa. Il serait venu en courant. Je lui aurais dit reste à côté de moi, regarde-moi m'endormir.

Mais je n'osais pas.

On aurait dit que ses retours me faisaient plus mal que ses départs.

Un jour – j'avais dix ans –, mon père m'a apporté un baladeur qu'il avait acheté pour moi à Sept-Îles. Il m'avait aussi acheté un CD de B. B. King. Je me suis endormie, ce soir-là, le soir de son retour, avec du blues dans les oreilles. Je ne savais même pas que cette musique, ça s'appelait du blues.

Mon père avait accepté, pour mes douze ans, de rouler jusqu'à Rimouski et de nous emmener magasiner, ma mère, ma sœur et moi. Dans la rue Saint-Jean-Baptiste, nous sommes allés chez un disquaire. Je n'avais jamais mis les pieds dans un endroit pareil, je n'avais jamais vu autant de disques de ma vie. J'ai acheté ton album parce que tu étais à la télévision, la veille, dans un talk-show, et tu m'avais fait rire en parlant avec l'air de te foutre de tout.

J'ai glissé ta musique dans mon baladeur et, les jours qui ont suivi, je n'ai plus quitté le piano. Je cherchais tes notes. Je cherchais ton rythme. J'étais maladroite, je ne comprenais pas comment tu faisais. Je disais à ma mère je joue du blues comme Bobo Ako. Elle riait.

Il fait un temps grandiose, on dirait bien que l'été, pour une fois, n'a pas oublié la Gaspésie. Ça donne envie de marcher dans le vent, de boire une bière, d'écrire une chanson, de chanter du blues, de recommencer sa vie.

Ce matin, je t'ai répondu. Je ne me suis pas reconnue dans la réponse que je t'ai faite, à cause de cette question directe que je t'ai posée, moi qui n'ai jamais osé t'en poser une seule, à part peut-être celle dans le taxi, à Boston, au sujet de tes maîtresses.

Je me suis lancée, ce matin, avec beaucoup d'audace. Je t'ai posé la question qui me brûlait. Bobo, as-tu décidé que ce n'était plus une bonne idée de venir me voir ?

Baby, je suis à toi, je suis ton homme, tu es ma femme, je suis dans ton cœur, tu es dans mon cœur, et ce sera ainsi jusqu'à la mort, parce que toi et moi nous sommes marqués au fer rouge, depuis la première nuit à New Orleans, depuis le premier après-midi chez toi, depuis Québec, Memphis, Boston, et je ne sais plus quelles villes. Il n'y a pas de date. Le temps qui passe ne compte pas. Tu ne te débarrasseras pas de moi.

Je t'ai invité chez moi, étant donné que je rentre à Montréal bientôt. Tu as répondu j'ai hâte de te dévorer. Ça ne veut rien dire, tu ne viendras peut-être pas. Un soir, j'aurai un courriel de toi qui dit je passerai te voir demain, *baby*. Je me coucherai tard pour mettre de l'ordre dans la maison. Je me lèverai tôt pour courir au marché, préparer un repas et prendre un bain parfumé.

Un courriel de Stéphane.

Il prend des nouvelles de moi, et surtout il espère plus que tout que la Gaspésie m'inspire. Il paraît que tu lui as réclamé des chansons de moi parce que *You can go away, baby* continue d'être la chanson de l'album qui se vend le plus sur iTunes.

J'ai assez de chansons dans mes carnets pour te faire chanter pendant cent ans, Bobo Ako. Mais je n'ai pas envie de te les donner.

Si un jour tu m'invites en tournée, je t'en donnerai une ou deux. Peut-être.

Garde-moi en sourdine dans ta tête.

Une phrase de musicien. Il n'y avait qu'un musicien pour imaginer une phrase pareille.

Garde-moi en sourdine dans ta tête.

Nous étions en face de ma maison, rue Hochelaga, un jour où j'avais eu le courage de t'accompagner jusque sur le trottoir pour te dire au revoir.

Moi je suis heureux. Je veux que tu sois aussi heureuse que je suis heureux. Fais ta vie, *baby*. Garde-moi juste en sourdine dans ta tête.

Des fois, je me dis que parmi toutes les intelligences dont peut être doué un être humain, il y en a au moins une dont les dieux ne t'ont pas fait cadeau : l'intelligence de l'amour.

Je retourne à Montréal demain. Je ne suis pas certaine de vouloir quitter le paysage du fleuve. La cuisine de ma mère. Les blagues de mon père.

C'est terrifiant de penser que, quand tu reviendras chez moi, parce qu'inévitablement un jour tu referas le chemin jusqu'à ma maison, tout se passera à peu près comme d'habitude. Je suppose que tu entreras sans frapper, léger, joyeux, comme si tu étais allé chercher quelque chose au dépanneur. J'entendrai la porte s'ouvrir et se refermer. Je ne bougerai pas de mon poste, je continuerai à équeuter une vénérable quantité de fraises de l'Île achetées au prix fort au marché Maisonneuve. Je lèverai les yeux sur toi. Je dirai bonjour, sûrement bonjour mon amour. Tu voleras quelques fraises déjà lavées. Je pousserai le panier pour que tu n'exagères pas, c'est pour le dessert. Tu examineras le contenu des casseroles sur le feu. Tu diras wow du poisson, wow du riz, *baby* tu connais ton homme.

J'ouvrirai des bières. Je te dirai maintenant, Bobo, raconte-moi tout ce qui t'arrive et surtout n'oublie aucun détail.

Évidemment, tu ne me raconteras rien du tout. Tu prendras une longue gorgée rafraîchissante. Tu déposeras ta canette, m'attraperas par la taille en te plaignant. *Baby*, tu ne m'embrasses pas, tu ne m'aimes pas, c'est ça, tu ne m'aimes plus, il y a un autre homme dans ta vie, je le savais.

À la fin de l'après-midi, nous nous serons endormis dans la pénombre de ma chambre. Tu te réveilleras en sursaut, tu regarderas l'heure, tu enfileras tes vêtements. Tes souliers. Ta montre.

Je tirerai l'oreiller sur ma tête.

Je ne bougerai pas avant le coucher du soleil. Puis, dans la nuit montréalaise, flambant nue, à la lueur des lumières de la rue, je rangerai la cuisine. Nous n'aurons pas touché aux fraises. Nous n'aurons même pas terminé nos petites portions de riz et de poisson. Nous aurons à peine entamé la salade verte. Je jetterai tout, même les fraises, à cause des drosophiles.

Je serai ralentie par un chagrin trop grand pour moi. Il me faudra du temps et de la patience pour m'en débarrasser. Je ferai ça par petites étapes, jour après jour, morceau par morceau. Il en restera quelque chose. Les résidus du chagrin. Avec du matériel de ce genre, on peut écrire une chanson. Fabriquer quelque chose de joli.

Quand j'étais petite, mes grand-mères tissaient des couvertures, des tapis, des torchons, et cousaient, le soir, après nous avoir envoyées dormir, de grandes courtepointes avec les tissus des robes qu'elles ne portaient plus. Il fallait des mois pour récupérer, couper, assembler, coudre, piquer ces dizaines de morceaux à fleurs, à rayures, à carreaux. Ainsi passait l'hiver, long hiver gaspésien, sans qu'elles perdent de vue l'inévitable retour du printemps.

J'ai appelé ma sœur, elle va venir repeindre ma chambre. J'ai acheté deux gallons de peinture jaune. Un jaune très gai, je dirais provençal. Après, je verrai pour la couleur de la couette, des draps, des rideaux et des coussins. Avec le jaune, tout est possible. C'est une couleur qui aime les autres couleurs. Ma sœur dit que c'est difficile, cacher du rose avec du jaune, qu'il faudra plusieurs couches, que ce sera long.

Pas grave. On a tout notre temps.

Les flammes dévorèrent en quelques minutes
la centaine de pages manuscrites et les
couvertures de carton. Fanny Murray resta
longtemps à regarder le feu prendre de la force,
puis s'éteindre lentement, très lentement,
au fur et à mesure que la nuit tombait.

Merci à Sunny Duval, mon lecteur-musicien,
et à Lino pour l'illustration.

Merci au Conseil des arts de Longueuil
pour son appui financier.

Cet ouvrage composé en Bembo corps 12,5 a été achevé d'imprimer au Québec
sur les presses de Marquis Imprimeur le treize janvier deux mille quinze
pour le compte de VLB éditeur.